Collection **LYCÉE** dirigée par
Sophie Pailloux-Riggi
Agrégée de Lettres modernes

Honoré de Balzac

GOBSECK

1840
texte intégral

Édition présentée par
Guy Palayret
Agrégé de Lettres modernes

CARRÉS
CLASSIQUES
Nathan

Pour Mathilde et Florent

sommaire

ISBN : 978-2-09-187243-8-© Nathan 2007
© Nathan 2009 pour la présente édition.

Relire Gobseck

sommai

Dossier central images en couleur

Le brouillon d'une vie

En 1830, année où paraît la première version de *Gobseck*, Balzac va avoir trente et un ans. Il a, à son passif, quelques tentatives littéraires avortées, d'autres publiées sous divers pseudonymes qui n'ont eu aucun succès, et surtout des dettes, contractées à la suite d'affaires malheureuses qui l'ont conduit à la faillite. Mais il est aussi protégé par Laure de Berny, de vingt-deux ans son aînée, qui est pour lui une maîtresse, une initiatrice, une conseillère, une mère de substitution.

Depuis dix ans, Balzac cherche la réussite, la gloire, la fortune... Il se cherche aussi : il essaie tour à tour la littérature, l'édition, l'imprimerie, les affaires. En vain. Ses essais littéraires, dans différents genres, sont des échecs, ses entreprises commerciales n'ont pas un meilleur succès. Bien au contraire, elles vont faire de lui un éternel endetté, obligé d'écrire sans cesse pour régler ses créanciers. Sans doute devons-nous à cette situation une grande partie de son œuvre.

Un éternel endetté, obligé d'écrire sans cesse.

Ces dix années difficiles ont permis à Balzac de faire son apprentissage en littérature, domaine initialement choisi dès 1819, mais aussi dans la vie. Les personnages et les situations rencontrés vont devenir la matière de son œuvre.

Le début d'une carrière

L'année 1829 marque une étape importante dans la carrière de Balzac. Ruiné par ses affaires catastrophiques dans l'édition et l'imprimerie, il revient à la littérature. En avril, il publie un roman historique, *Le Gars* (titre définitif : *Les Chouans*). Le livre n'est guère remarqué, mais il est le premier que Balzac signe de son véritable nom et le premier roman, dans l'ordre chronologique, qu'il intégrera à son projet, *La Comédie humaine*.

En décembre, Balzac publie *La Physiologie du mariage*, qui lui vaut aussitôt un succès de scandale, lui ouvre les portes des salons à la mode et lui assure accessoirement quelques conquêtes féminines... Le livre, à vocation pédagogique, souligne, dans le contexte de l'époque, la difficile condition des femmes, prises entre leurs sentiments, l'ignorance due à leur éducation et les règles juridiques et morales du mariage auquel elles sont très mal préparées. L'audace du propos tient dans la volonté de prévenir et d'avertir les femmes des désillusions et des malheurs que le mariage, comme son corollaire, l'adultère, peuvent entraîner.

Encouragé par ce succès, Balzac publie en avril 1830 les *Scènes de la vie privée*, six récits qui sont l'illustration de ces thèses, sortes de travaux pratiques ou d'exemples puisés dans la vie réelle. Ces œuvres constituent le noyau d'une section beaucoup plus vaste qui prendra place plus tard dans *La Comédie humaine*.

Parmi elles figure un récit au titre sans ambiguïté, *Les Dangers de l'inconduite* : c'est la version primitive de *Gobseck*.

La naissance d'une œuvre

Balzac a trouvé sa voie. En 1834, il a l'idée du retour des personnages d'un livre à l'autre ; il commence également à former le grand dessein d'une œuvre unique où seront regroupés tous ses romans et nouvelles en une vaste fresque, dont le nom définitif, qui apparaît vers 1840, sera *La Comédie humaine*.

Il publie *Le Père Goriot* en 1834 et l'année suivante, sous le titre *Le Papa Gobseck*, une version enrichie des *Dangers de l'inconduite*. Il y met en pratique le principe du retour des personnages et tisse un lien étroit entre les deux romans par l'intermédiaire de la comtesse, devenue Mme de Restaud, l'une des deux filles de Goriot, et de l'avoué Derville, qui s'est occupé des affaires de ce dernier. *Gobseck* devient alors l'une des œuvres fondatrices du grand édifice imaginé par Balzac.

En 1842, ce bref roman est publié sous le titre définitif que nous lui connaissons.

Balzac crée le principe du retour des personnages, d'une œuvre à l'autre.

Balzac et le roman historique

Au début de sa carrière, Balzac hésite dans ses choix : le théâtre l'attire davantage que le roman, genre inférieur et méprisé. Ce n'est qu'après l'échec de sa première pièce, et après avoir privilégié la forme de l'essai, qu'il s'oriente vers ce genre, non sans hésiter, là encore, sur la forme qu'il va adopter.

Ses lectures l'ont très tôt conduit vers Walter Scott (1729-1799), écrivain écossais, auteur notamment d'*Ivanhoé* et de *Quentin Durward*. Celui-ci reconstitue minutieusement l'histoire médiévale de son pays en intégrant ses personnages dans le contexte de leur époque. Plus que la psychologie, c'est la manière dont ils vivent les conflits et les conditions sociales de leur temps qui les caractérise.

L'historien du présent.

Tenté lui-même un temps par le roman historique, Balzac découvre finalement qu'il sera l'historien du présent, en appliquant les méthodes de Scott à l'époque contemporaine. Il décrira la relation étroite qu'entretiennent les personnages avec l'univers dans lequel ils vivent : Balzac se fait sociologue de son époque. Ainsi, Gobseck, à l'image du romancier, verra et comprendra tout de la société de son temps.

Balzac et le roman d'aventure

Une autre source d'inspiration importante pour Balzac est l'œuvre de l'américain Fenimore Cooper, l'auteur du fameux *Dernier des Mohicans* (1826). L'univers du Nouveau Monde et des aventures indiennes semble éloigné du monde civilisé de la vieille Europe, mais l'un des traits les plus originaux de Balzac est d'apercevoir dans le Paris de la Restauration (1815-1830) les mêmes règles sociales de fonctionnement que celles qui règnent chez les Hurons ou les Iroquois. L'aventure et les coutumes archaïques sont au coin de la rue ou de la cheminée aristocratique de Mme de Grandlieu. Le romancier se fait ethnologue, alors même que cette discipline n'existe pas encore. Gobseck, qui a beaucoup voyagé, en est le précurseur : sa jeunesse d'aventurier-pirate est la meilleure formation pour comprendre et démasquer les dandies-forbans, tels que Maxime de Trailles.

contextes

Une histoire de l'intimité

Les héros de cette histoire du temps présent ne sont pas les grands hommes, mais au contraire les gens ordinaires. Balzac, à sa manière, anticipe sur l'historiographie moderne. Ce sont les anonymes, les gens « infâmes », au sens étymologique (sans notoriété), qui font l'étoffe de l'Histoire, et non les grands événements. *Gobseck* est l'un des premiers récits à mettre en scène l'un de ces héros anonymes, à peine présentables et pourtant véritables maîtres du jeu social.

Les *Scènes de la vie privée* mettent en avant les histoires intimes, histoires d'amour et d'argent, les deux grands ressorts de l'univers balzacien. Ce sont en effet les femmes et les grands prédateurs de la finance et de la vie sociale qui écrivent l'histoire de l'intimité, les unes par leurs passions et leurs déboires, les autres par la science et le cynisme qui les caractérisent. *Gobseck* esquisse un scénario fondamental du monde balzacien : la relation conflictuelle et complémentaire entre l'argent et les passions.

Le réalisme à l'œuvre

Gobseck marque une transition dans l'art de Balzac. Pour décrire l'univers de cette histoire inédite, il faut renoncer aux oripeaux du roman historique : les châteaux, les fantômes, et les crimes dans les souterrains laissent la place aux salons, aux financiers et aux intrigues de la vie quotidienne. Le vieil usurier tient encore de l'aventurier romanesque échappé d'un récit de flibustiers ou de fantômes, mais il est aussi un redoutable financier engagé dans les affaires les plus lucratives de son temps. Il manie le pistolet aussi bien que la lettre de change pour un même résultat : la conquête du pouvoir. Entre deux mondes, celui hérité de l'Ancien Régime et celui né de la Révolution, il est un héros de la vie moderne. Celle-ci exige avant tout d'être décrite dans sa complexité. Il y faut notamment un souci d'exactitude qui fonde une esthétique, le réalisme, et un genre qui s'y prête, le roman. *Gobseck* est écrit au moment précis où Balzac est en train de donner une forme romanesque à ses intuitions et une tonalité réaliste à son art.

Gobseck, un héros de la vie moderne.

Monarchies et romantisme

La Restauration

La fin de l'Empire en 1815 a ramené au pouvoir les frères de Louis XVI et, dans leurs bagages, l'aristocratie émigrée pendant la Révolution. La revanche des bannis de la veille s'est manifestée par la répression, la « Terreur blanche », dirigée contre ceux qui se sont compromis dans les périodes antérieures, par le rétablissement des anciens privilèges, et par la loi du « milliard des immigrés » dont Mme de Grandlieu, dans *Gobseck*, profite grâce à Derville. Pourtant, derrière la façade « restaurée », le monde a changé. Une classe nouvelle a pris le pouvoir économique. Ainsi, le père Goriot, personnage balzacien, a fait fortune dans le commerce des grains. En outre, toute une jeunesse nostalgique se trouve inemployée, orpheline de l'épopée napoléonienne et de ses rêves de gloire, comme Julien Sorel dans *Le Rouge et le Noir* de Stendhal, qui paraît... en 1830.

Derrière la façade « restaurée », le monde a changé.

1830 : les Trois Glorieuses

Dans les livres d'Histoire, 1830 est la date d'une révolution, les « Trois Glorieuses », en référence aux journées de juillet qui renversèrent le roi Charles X. Cette révolution met un terme définitif à la monarchie absolue, que la chute de Napoléon Ier avait rétablie et elle va permettre l'ascension de la société bourgeoise qu'incarnera Louis-Philippe. 1830 est une révolution manquée dont Balzac est le produit, mais aussi l'analyste subtil.

1799	1815	1820	1823	1824	1829	
	Naissance de Balzac					*Les Chouans*, premier roman signé. *Physiologie du mariage*
	Napoléon abdique. Louis XVIII	Lamartine, *Méditations poétiques*	Stendhal, *Racine et Shakespeare* (manifeste du romantisme)	Charles X		

Balzac est donc le témoin de cette période qui conduit la France de la Révolution de 1789 à celle de 1848, puis à la IIe République, qu'il aura à peine le temps de connaître. Il en perçoit avec une exceptionnelle acuité l'évolution souterraine, les transformations profondes, que masque partiellement l'histoire officielle. Historien de la vie quotidienne, il en comprend et en dégage la signification au travers de son œuvre.

Romantisme et politique

Lorsque Balzac décide d'embrasser la carrière littéraire, le romantisme est en plein essor. Né en Angleterre et en Allemagne, ce mouvement a pris en France des tonalités particulières. À son début, à l'aube du XIXe siècle, il est nettement lié aux milieux contre-révolutionnaires et émigrés. Sur le plan esthétique, le romantisme français se définit souvent en réaction au classicisme, mais aussi à l'époque des Lumières, soupçonnée d'avoir porté les valeurs de la Révolution. La poésie, le retour à la tradition, l'intérêt pour le christianisme

Balzac perçoit avec acuité l'évolution souterraine.

et le Moyen Âge sont quelques marques de ce premier romantisme. Mais, très vite, les frontières se brouillent, les clivages politiques ne sont plus pertinents et un romantisme libéral apparaît chez des artistes comme Stendhal en littérature ou Delacroix en peinture. Le romantisme se définit alors comme un « mal du siècle », une difficulté pour la jeunesse à vivre dans un monde

Les Dangers de l'inconduite, 1re version de *Gobseck*	*La Peau de chagrin*	*Le Père Goriot*	*Papa Gobseck*, 2e version	*Gobseck*, version finale		Mort de Balzac
1830	1831	1834	1835	1842	1848	1850
Louis-Philippe. Victor Hugo, *Hernani*. Stendhal, *Le Rouge et le Noir*	Victor Hugo, *Notre-Dame de Paris*. Delacroix, *La Liberté guidant le peuple*				Révolution. IIe République	

contextes

dominé par les valeurs matérielles, l'argent, la richesse. Esthétiquement, la revendication pour une liberté de création devient le mot d'ordre, incarné par la « bataille » d'*Hernani*, en 1830, moment où la jeunesse romantique réussit à imposer ses vues, à l'occasion de la représentation de la pièce de Victor Hugo.

Un monde dominé par les valeurs matérielles.

Balzac romantique ?

Balzac entretient un rapport complexe avec le mouvement romantique. Il en partage l'exaltation des passions, le goût pour les héros révoltés, en rupture sociale avec leurs milieux, un certain attrait pour l'irrationnel et la quête d'un absolu spirituel. Mais il s'en détache par son attention portée à la réalité prosaïque de son temps, son goût de l'exactitude dans la reconstitution de l'univers quotidien, sa passion pour le présent.

Gobseck reflète cette ambivalence dans sa composition : la passion mélodramatique de Mme de Restaud, le caractère mystérieux et sépulcral de Gobseck, sa solitude, la fascination qu'il exerce sur Derville s'inscrivent dans la sensibilité romantique. À l'inverse, l'analyse très précise des mécanismes financiers et sociaux, la peinture ironique et critique du monde aristocratique dans sa trivialité rompent avec cette esthétique.

Vers 1830, Balzac hésite donc entre diverses options : le personnage de Gobseck comme ceux qui l'entourent traduisent sa perplexité. Les différentes versions du texte montrent son évolution, du mélodrame conjugal à la peinture minutieuse d'une logique financière, bien plus efficace pour protéger les fortunes et l'ordre social que les règles morales d'une société en plein doute.

« *Si infâmes que soient les canailles,*
elles ne le sont jamais autant que les honnêtes gens. »
Octave Mirbeau

Lire...

Gobseck

1840
Honoré de Balzac

texte intégral

Petit lexique de l'usurier

Pour comprendre le métier de Gobseck, il faut en maîtriser le lexique :

■ **Ayant cause :** celui à qui ont été transmis les droits d'une autre personne.

■ **Créancier :** personne à qui l'on doit de l'argent.

■ **Débiteur :** personne qui doit de l'argent à quelqu'un.

■ **Escompte :** opération de crédit à court terme qui consiste à acheter une lettre de change avant son échéance, déduction faite d'un intérêt proportionnel au délai initialement prévu pour son remboursement. Cette opération, très pratiquée par Gobseck (voir l'épisode des diamants et l'encadré, p. 54), est risquée : en rachetant des créances de ce type, il peut gagner beaucoup d'argent par l'intérêt perçu, mais aussi en perdre si le débiteur est insolvable.

■ **Fidéicommis :** opération qui consiste à transférer tous ses biens à une autre personne de manière officielle, tout en prenant des dispositions secrètes pour que, à sa mort, ceux-ci soient restitués aux héritiers que l'on a réellement choisis.

■ **Insolvable :** personne qui ne peut payer ses dettes.

■ **Lettre de change :** titre transmissible par lequel un créancier donne l'ordre à son débiteur de payer à une date déterminée la somme qu'il lui doit.

■ **Liquidateur :** personne chargée juridiquement de la vente de biens.

■ **Protêt :** papier officiel constatant le non-paiement ou le refus d'acceptation d'une dette et permettant des poursuites immédiates contre le débiteur. « Protester » signifie « faire dresser un protêt » (donc, pour un créancier, réclamer son dû par voie de justice).

■ **Usurier :** personne qui prête de l'argent (à ceux qui n'ont plus d'autres solutions de crédit) à des taux supérieurs à ceux couramment pratiqués.

À MONSIEUR LE BARON
BARCHOU DE PENHOËN[1]

Parmi tous les élèves de Vendôme, nous sommes, je crois, les seuls qui se sont retrouvés au milieu de la carrière des lettres, nous qui cultivions déjà la philosophie à l'âge où nous ne devions cultiver que le De viris[2]. *Voici l'ouvrage que je faisais quand nous nous sommes revus, et pendant que tu travaillais à tes beaux ouvrages sur la philosophie allemande. Ainsi nous n'avons manqué ni l'un ni l'autre à nos vocations. Tu éprouveras donc sans doute à voir ici ton nom autant de plaisir qu'en a eu à l'y inscrire.*

Ton vieux camarade de collège,

DE BALZAC.

1840.

À UNE HEURE DU MATIN, PENDANT L'HIVER de 1829 à 1830, il se trouvait encore dans le salon de la vicomtesse de Grandlieu[3] deux personnes étrangères à sa famille. Un jeune et joli homme sortit en entendant sonner la pendule. Quand le bruit de la voiture retentit dans la cour, la vicomtesse ne voyant plus que son frère et un ami de la famille qui achevaient leur piquet[4], s'avança vers sa fille qui, debout devant la cheminée du salon, semblait examiner un garde-vue[5] en lithophanie[6], et qui écoutait le bruit du cabriolet[7] de manière à justifier les craintes de sa mère.   10

« Camille, si vous continuez à tenir avec le jeune comte de Restaud la conduite que vous avez eue ce soir, vous

1. Camarade de jeunesse de Balzac.
2. Ouvrage narrant la vie des grands hommes de l'époque romaine (1775), destiné aux jeunes élèves.
3. Famille aristocratique de *La Comédie humaine*, émigrée pendant la Révolution et l'Empire, et rentrée dans sa fortune à la Restauration.
4. Jeu de cartes.
5. Abat-jour.
6. Procédé permettant d'obtenir dans le verre ou la porcelaine des dessins par transparence.
7. Voiture légère, généralement à deux roues, tirée par un seul cheval.

Gobseck et La Comédie humaine

En 1834, Balzac conçoit le principe du « retour des personnages », en même temps qu'il écrit *Le Père Goriot*. Il intègre alors *Gobseck* au grand système de *La Comédie humaine* en 1835. Le personnage appelé « la comtesse » dans la première version devient Mme de Restaud, l'une des deux filles du père Goriot, le vicomte prend le nom de Maxime de Trailles, l'avoué celui de Derville (l'avocat qui s'est occupé des affaires de Goriot). Un jeu de miroirs s'instaure entre les deux œuvres. ■

1. M. de Restaud a donc fait une mésalliance en épousant la fille du père Goriot.
2. Officier ministériel représentant les parties (plaignants ou accusés). À la différence de l'avocat, il ne plaide pas.
3. Fauteuil large et profond.
4. Chaise basse pour s'asseoir près de la cheminée.

m'obligerez à ne plus le recevoir. Écoutez, mon enfant, si vous avez confiance en ma tendresse, laissez-moi vous guider dans la vie. À dix-sept ans l'on ne sait juger ni de l'avenir, ni du passé, ni de certaines considérations sociales. Je ne vous ferai qu'une seule observation. M. de Restaud a une mère qui mangerait des millions, une femme mal née, une demoiselle Goriot[1] qui jadis a fait beaucoup parler d'elle. Elle s'est si mal comportée avec son père qu'elle ne mérite certes pas d'avoir un si bon fils. Le jeune comte l'adore et la soutient avec une piété filiale digne des plus grands éloges ; il a surtout de son frère et de sa sœur un soin extrême. Quelque admirable que soit cette conduite, ajouta la vicomtesse d'un air fin, tant que sa mère existera, toutes les familles trembleront de confier à ce petit Restaud l'avenir et la fortune d'une jeune fille.

– J'ai entendu quelques mots qui me donnent envie d'intervenir entre vous et Mlle de Grandlieu, s'écria l'ami de la famille. – J'ai gagné, monsieur le comte, dit-il en s'adressant à son adversaire. Je vous laisse pour courir au secours de votre nièce.

– Voilà ce qui s'appelle avoir des oreilles d'avoué[2], s'écria la vicomtesse. Mon cher Derville, comment avez-vous pu entendre ce que je disais tout bas à Camille ?

– J'ai compris vos regards », répondit Derville en s'asseyant dans une bergère[3] au coin de la cheminée.

L'oncle se mit à côté de sa nièce, et Mme de Grandlieu prit place sur une chauffeuse[4], entre sa fille et Derville.

« Il est temps, Mme la vicomtesse, que je vous conte une histoire qui vous fera modifier le jugement que vous portez sur la fortune du comte Ernest de Restaud.

– Une histoire ! s'écria Camille. Commencez donc vite, monsieur. »

Derville jeta sur Mme de Grandlieu un regard qui lui fit comprendre que ce récit devait l'intéresser. La vicomtesse de Grandlieu était, par sa fortune et par l'antiquité de son nom, une des femmes les plus remarquables du faubourg Saint-Germain[5] ; et, s'il ne semble pas naturel qu'un avoué de Paris pût lui parler si familièrement et se comportât chez elle d'une manière si cavalière, il est néanmoins facile d'expliquer ce phénomène. Mme de Grandlieu, rentrée en France avec la famille royale, était venue habiter Paris, où elle n'avait d'abord vécu que de secours accordés par Louis XVIII sur les fonds de la liste civile, situation insupportable. L'avoué eut l'occasion de découvrir quelques vices de forme dans la vente que la république avait jadis faite de l'hôtel de Grandlieu, et prétendit qu'il devait être restitué à la vicomtesse. Il entreprit ce procès moyennant un forfait, et le gagna. Encouragé par ce succès, il chicana[6] si bien je ne sais quel hospice, qu'il en obtint la restitution de la forêt de Liceney. Puis, il fit encore recouvrer quelques actions sur le canal d'Orléans, et certains immeubles assez importants que l'Empereur[7] avait donnés en dot à des établissements publics. Ainsi rétablie par l'habileté du jeune avoué, la fortune de Mme de Grandlieu s'était élevée à un revenu de soixante mille francs environ, lors de la loi sur l'indemnité[8] qui lui avait rendu des sommes énormes. Homme de haute probité, savant, modeste et de bonne compagnie, cet avoué devint alors l'ami de la famille. Quoique sa conduite envers Mme de Grandlieu lui eût mérité l'estime et la clientèle des meilleures maisons du faubourg Saint-

Derville

Derville traverse plusieurs œuvres essentielles de *La Comédie humaine* (14 au total) : *Gobseck*, *Le Père Goriot*, *Le Colonel Chabert* et *César Birotteau* notamment. On peut reconstituer sa biographie en glanant des informations dans les différents récits où il apparaît. Homme avisé et sage, il mène une vie heureuse, laborieuse et « sans histoires », amassant honnêtement une fortune raisonnable, tout en côtoyant les milieux les plus divers. ■

5. Quartier de Paris où résidait l'aristocratie.
6. Terme de droit : soulever une difficulté liée à un point mineur de droit (appelé une « chicane ») qui embrouille l'affaire lors d'un procès.
7. Napoléon Ier.
8. Loi votée le 28 avril 1825, connue sous le nom de « milliard des émigrés », destinée à indemniser les familles aristocratiques dont les biens avaient été vendus pendant la Révolution.

1. Fonction, ici celle d'avoué, que l'on achetait sous l'Ancien Régime.
2. Lieu de travail de l'avoué.
3. Groupes de quatre personnes qui dansent.

Germain, il ne profitait pas de cette faveur comme en aurait pu profiter un homme ambitieux. Il résistait aux offres de la vicomtesse qui voulait lui faire vendre sa charge[1] et le jeter dans la magistrature, carrière où, par ses protections, il aurait obtenu le plus rapide avancement. À l'exception de l'hôtel de Grandlieu, où il passait quelquefois la soirée, il n'allait dans le monde que pour y entretenir ses relations. Il était fort heureux que ses talents eussent été mis en lumière par son dévouement à Mme de Grandlieu, car il aurait couru le risque de laisser dépérir son étude[2]. Derville n'avait pas une âme d'avoué. Depuis que le comte Ernest de Restaud s'était introduit chez la vicomtesse, et que Derville avait découvert la sympathie de Camille pour ce jeune homme, il était devenu aussi assidu chez Mme de Grandlieu que l'aurait été un dandy de la Chaussée d'Antin nouvellement admis dans les cercles du noble faubourg. Quelques jours auparavant, il s'était trouvé dans un bal auprès de Camille, et lui avait dit en montrant le jeune comte : « Il est dommage que ce garçon-là n'ait pas deux ou trois millions, n'est-ce pas ? – Est-ce un malheur ? Je ne le crois pas, avait-elle répondu. M. de Restaud a beaucoup de talent, il est instruit, et bien vu du ministre auprès duquel il a été placé. Je ne doute pas qu'il ne devienne un homme très remarquable. Ce *garçon-là* trouvera tout autant de fortune qu'il en voudra, le jour où il sera parvenu au pouvoir. – Oui, mais s'il était déjà riche ? – S'il était riche, dit Camille en rougissant. Mais toutes les jeunes personnes qui sont ici se le disputeraient, ajouta-t-elle en montrant les quadrilles[3]. – Et alors, avait répondu l'avoué, Mlle de Grandlieu ne serait plus la seule vers laquelle il tournerait les yeux. Voilà pourquoi vous rougissez ? Vous vous sentez du goût pour lui, n'est-ce pas ? Allons, dites. » Camille s'était brusquement levée. « Elle l'aime », avait pensé Derville. Depuis ce jour, Camille avait eu pour l'avoué des attentions inaccoutumées en s'apercevant qu'il approuvait son inclination pour le jeune comte Ernest de Restaud. Jusque-là, quoiqu'elle n'ignorât aucune des obligations de sa famille envers Derville, elle avait eu pour lui plus d'égards que d'amitié vraie, plus de politesse que de sentiment ; ses manières, aussi bien que le ton de sa voix lui avaient toujours fait sentir la distance que l'étiquette[4] mettait entre eux. La reconnaissance est une dette que les enfants n'acceptent pas toujours à l'inventaire.

« Cette aventure, dit Derville après une pause, me rappelle les seules circonstances romanesques de ma vie. Vous riez déjà, reprit-il, en entendant un avoué vous parler d'un roman dans sa vie ! Mais j'ai eu vingt-cinq ans comme tout le monde, et à cet âge j'avais déjà vu d'étranges choses. Je dois commencer par vous parler d'un personnage que vous ne pouvez pas connaître. Il s'agit d'un usurier[5]. Saisirez-vous bien cette figure pâle et blafarde, à laquelle je voudrais que l'Académie[6] me permît de donner le nom de face *lunaire*, elle ressemblait à du vermeil dédoré ? Les cheveux de mon usurier étaient plats, soigneusement peignés et d'un gris cendré. Les traits de son visage, impassible autant que celui de Talleyrand, paraissaient avoir été coulés en bronze. Jaunes comme ceux d'une fouine, ses petits yeux n'avaient presque point de cils et craignaient la lumière ; mais l'abat-jour d'une vieille casquette les en garantissait. Son nez pointu était si grêlé dans le bout que vous l'eussiez comparé à une vrille. Il avait les lèvres

Talleyrand (1754-1838)

Évêque avant la Révolution, il servit et trahit plus ou moins tous les régimes ultérieurs (ceux de la Révolution, de l'Empire et de la Restauration), ce qui lui valut très tôt de devenir le type de l'homme politique ambitieux, intelligent, cynique, amoral, prêt à tout pour posséder le pouvoir. ■

4. Convenances sociales.
5. Voir lexique de l'usurier, p. 12.
6. L'Académie des beaux-arts.

Fontenelle
(1657-1757)

Philosophe et homme de sciences des Lumières, remarquable vulgarisateur scientifique. Balzac fait allusion à son exceptionnelle longévité pour l'époque (il mourut à cent ans), attribuée à un constant souci d'économiser son énergie en toutes circonstances. ■

1. Savants qui consacrent leurs recherches à la transmutation des métaux, pratique souvent assimilée à des sciences occultes et condamnée par l'Église.
2. Quentin Metsys, ou Metzu (1466-1530), peintre flamand (voir dossier images). Rembrandt (1606-1669), célèbre peintre hollandais.
3. Personnage d'Indien de Fenimore Cooper (1789-1851).

minces de ces alchimistes[1] et de ces petits vieillards peints par Rembrandt ou par Metzu[2]. Cet homme parlait bas, d'un ton doux, et ne s'emportait jamais. Son âge était un problème : on ne pouvait pas savoir s'il était vieux avant le temps, ou s'il avait ménagé sa jeunesse afin qu'elle lui servît toujours. Tout était propre et râpé dans sa chambre, pareille, depuis le drap vert du bureau jusqu'au tapis du lit, au froid sanctuaire de ces vieilles filles qui passent la journée à frotter leurs meubles. En hiver les tisons de son foyer, toujours enterrés dans un talus de cendres, y fumaient sans flamber. Ses actions, depuis l'heure de son lever jusqu'à ses accès de toux le soir, étaient soumises à la régularité d'une pendule. C'était en quelque sorte un *homme modèle* que le sommeil remontait. Si vous touchez un cloporte cheminant sur un papier, il s'arrête et fait le mort ; de même, cet homme s'interrompait au milieu de son discours et se taisait au passage d'une voiture, afin de ne pas forcer sa voix. À l'imitation de Fontenelle, il économisait le mouvement vital, et concentrait tous les sentiments humains dans le moi. Aussi sa vie s'écoulait-elle sans faire plus de bruit que le sable d'une horloge antique. Quelquefois ses victimes criaient beaucoup, s'emportaient ; puis après il se faisait un grand silence, comme dans une cuisine où l'on égorge un canard. Vers le soir l'homme-billet se changeait en un homme ordinaire, et ses métaux se métamorphosaient en cœur humain. S'il était content de sa journée, il se frottait les mains en laissant échapper par les rides crevassées de son visage une fumée de gaieté, car il est impossible d'exprimer autrement le jeu muet de ses muscles, où se peignait une sensation comparable au rire à vide de *Bas-de-Cuir*[3]. Enfin, dans ses plus grands

Rembrandt,
Vieil homme,
XVIIe siècle.

accès de joie, sa conversation restait monosyllabique, et sa contenance était toujours négative. Tel est le voisin que le hasard m'avait donné dans la maison que j'habitais rue des Grès[1], quand je n'étais encore que second clerc[2] et que j'achevais ma troisième année de droit. Cette maison, qui n'a pas de cour, est humide et sombre. Les appartements n'y tirent leur jour que de la rue. La distribution claustrale[3] qui divise le bâtiment en chambres d'égale grandeur, en ne leur laissant d'autre issue qu'un long corridor éclairé par des jours de souffrance, annonce que la maison a jadis fait partie d'un couvent. À ce triste aspect, la gaieté d'un fils de famille expirait avant qu'il n'entrât chez mon voisin : sa maison et lui se ressemblaient. Vous eussiez dit de l'huître et son rocher. Le seul être avec lequel il communiquait, socialement parlant, était moi ; il venait me demander du feu, m'empruntait un livre, un journal, et me permettait le soir d'entrer dans sa cellule, où nous causions quand il était de bonne humeur. Ces marques de confiance étaient le fruit d'un voisinage de quatre années et de ma sage conduite, qui, faute d'argent, ressemblait beaucoup à la sienne. Avait-il des parents, des amis ? Était-il riche ou pauvre ? Personne n'aurait pu répondre à ces questions. Je ne voyais jamais d'argent chez lui. Sa fortune se trouvait sans doute dans les caves de la Banque. Il recevait lui-même ses billets en courant dans Paris d'une jambe sèche comme celle d'un cerf. Il était d'ailleurs martyr de sa prudence. Un jour, par hasard, il portait de l'or ; un double napoléon[4] se fit jour, on ne sait comment, à travers son gousset[5] ; un locataire qui le suivait dans l'escalier ramassa la pièce et la lui présenta.

« "Cela ne m'appartient pas, répondit-il avec un geste de surprise. À moi de l'or ! Vivrais-je comme je vis si j'étais

1. Actuellement, rue Cujas à Paris, près du Panthéon.
2. Simple employé d'un avoué ou d'un notaire.
3. Identique à celle d'un cloître dans un monastère.
4. Pièce d'or d'une valeur de vingt francs de l'époque, représentant donc une somme importante.
5. Petite bourse que l'on porte à la ceinture.

riche ?" Le matin, il apprêtait lui-même son café sur un réchaud de tôle, qui restait toujours dans l'angle noir de sa cheminée ; un rôtisseur lui apportait à dîner. Notre vieille portière[6] montait à une heure fixe pour approprier[7] la chambre. Enfin, par une singularité que Sterne[8] appellerait une prédestination, cet homme se nommait Gobseck[9]. Quand plus tard je fis ses affaires, j'appris qu'au moment où nous nous connûmes il avait environ soixante-seize ans. Il était né vers 1740, dans les faubourgs d'Anvers, d'une Juive et d'un Hollandais, et se nommait Jean-Esther Van Gobseck. Vous savez combien Paris s'occupa de l'assassinat d'une femme nommée *la belle Hollandaise*[10] ? quand j'en parlai par hasard à mon ancien voisin, il me dit, sans exprimer ni le moindre intérêt ni la plus légère surprise : "C'est ma petite-nièce." Cette parole fut tout ce que lui arracha la mort de sa seule et unique héritière, la petite-fille de sa sœur. Les débats m'apprirent que la belle Hollandaise se nommait en effet Sara Van Gobseck. Lorsque je lui demandai par quelle bizarrerie sa petite-nièce portait son nom : "Les femmes ne se sont jamais mariées dans notre famille", me répondit-il en souriant. Cet homme singulier n'avait jamais voulu voir une seule personne des quatre générations femelles où se trouvaient ses parents. Il abhorrait[11] ses héritiers et ne concevait pas que sa fortune pût jamais être possédée par d'autres que lui, même après sa mort. Sa mère l'avait embarqué dès l'âge de dix ans en qualité de mousse pour les possessions hollandaises dans les grandes Indes[12], où il avait roulé pendant vingt années. Aussi les rides de son front jaunâtre gardaient-elles les secrets d'événements horribles, de terreurs soudaines, de hasards

6. Concierge, gardienne.
7. Nettoyer, aménager.
8. Laurence Sterne (1713-1768), romancier anglais, réputé pour son sens de l'humour et sa liberté de ton.
9. Jeu de mots sur Gobseck : celui qui « gobe sec ».
10. Épisode inspiré d'un fait réel et romancé par Balzac.
11. Haïssait.
12. Nom donné à un vaste ensemble de pays du continent asiatique, désigné aussi par le terme « Indes orientales ».

inespérés, de traverses romanesques, de joies infinies : la faim supportée, l'amour foulé aux pieds, la fortune compromise, perdue, retrouvée, la vie maintes fois en danger, et sauvée peut-être par ces déterminations dont la rapide urgence excuse la cruauté. Il avait connu l'amiral Simeuse, M. de Lally, M. de Kergarouët, M. d'Estaing, le bailli de Suffren, M. de Portenduère, lord Cornwallis, lord Hastings, le père de Tippo-Saeb et Tippo-Saeb lui-même[1]. Ce Savoyard, qui servit Madhadjy-Sindiah, le roi de Delhy, et contribua tant à fonder la puissance des Marhattes, avait fait des affaires avec lui. Il avait eu des relations avec Victor Hughes et plusieurs célèbres corsaires, car il avait longtemps séjourné à Saint-Thomas[2]. Il avait si bien tout tenté pour faire fortune qu'il avait essayé de découvrir l'or de cette tribu de sauvages si célèbres aux environs de Buenos Aires. Enfin il n'était étranger à aucun des événements de la guerre de l'indépendance américaine. Mais quand il parlait des Indes ou de l'Amérique, ce qui ne lui arrivait avec personne, et fort rarement avec moi, il semblait que ce fût une indiscrétion, il paraissait s'en repentir. Si l'humanité, si la sociabilité sont une religion, il pouvait être considéré comme un athée. Quoique je me fusse proposé de l'examiner, je dois avouer à ma honte que jusqu'au dernier moment son cœur fut impénétrable. Je me suis quelquefois demandé à quel sexe il appartenait. Si les usuriers ressemblent à celui-là, je crois qu'ils sont tous du genre neutre. Était-il resté fidèle à la religion de sa mère, et regardait-il les chrétiens comme sa proie ? s'était-il fait catholique, mahométan, brahme ou luthérien[3] ? Je n'ai jamais rien su de ses opinions religieuses. Il me

1. Corsaires, marins, aventuriers et gouverneurs de colonies.
2. Archipel des Antilles.
3. Adjectifs renvoyant successivement à l'islam, à l'hindouisme et au luthéranisme (forme de protestantisme).

paraissait être plus indifférent qu'incrédule. Un soir j'entrai chez cet homme qui s'était fait or, et que, par anti-phrase[4] ou par raillerie, ses victimes, qu'il nommait ses clients, appelaient papa Gobseck. Je le trouvai sur son fauteuil immobile comme une statue, les yeux arrêtés sur le manteau de la cheminée où il semblait relire ses borde-reaux d'escompte. Une lampe fumeuse dont le pied avait été vert jetait une lueur qui, loin de colorer ce visage, en faisait mieux ressortir la pâleur. Il me regarda silencieuse-ment et me montra ma chaise qui m'attendait. "À quoi cet être-là pense-t-il ? me dis-je. Sait-il s'il existe un Dieu, un sentiment, des femmes, un bonheur ?" Je le plaignis comme j'aurais plaint un malade. Mais je comprenais bien aussi que, s'il avait des millions à la banque, il pouvait posséder par la pensée la terre qu'il avait parcourue, fouillée, soupesée, évaluée, exploitée. "Bonjour, papa Gobseck", lui dis-je. Il tourna la tête vers moi, ses gros sourcils noirs se rapprochèrent légèrement ; chez lui, cette inflexion caractéristique équivalait au plus gai sourire d'un Méridional. "Vous êtes aussi sombre que le jour où l'on est venu vous annoncer la faillite de ce libraire de qui vous avez tant admiré l'adresse, quoique vous en ayez été la vic-time. – Victime ? dit-il d'un air étonné. – Afin d'obtenir son concordat, ne vous avait-il pas réglé votre créance en billets signés de la raison de commerce en faillite ; et quand il a été rétabli, ne vous les a-t-il pas soumis à la réduction voulue par le concordat ? – Il était fin, répondit-il, mais je l'ai repincé. – Avez-vous donc quelques billets à protester ? nous sommes le trente, je crois." Je lui parlais d'argent pour la première fois. Il leva sur moi ses yeux par un mouvement railleur, puis, de sa voix douce dont les

Le concordat

Accord entre une personne en faillite et ses créanciers, qui lui autorisent des facilités de paiement et même une remise partielle de ses dettes. Dans l'épisode évoqué ici, le libraire, en faillite, a signé à l'ordre de Gobseck des billets bénéficiant de ces facilités (réduction de la somme à payer). Sa situation s'étant rétablie, il a voulu payer à ce tarif réduit, flouant ainsi Gobseck, alors qu'il aurait dû renoncer aux facilités du concordat puisqu'il n'était plus en faillite. Gobseck dit avoir « repincé » son débiteur, mais il ne dit pas comment. ∎

4. Emploi d'un mot dans son sens contraire, par ironie.

accents ressemblaient aux sons que tire de sa flûte un élève qui n'en a pas l'embouchure : "Je m'amuse, me dit-il. – Vous vous amusez donc quelquefois ? – Croyez-vous qu'il n'y ait de poètes que ceux qui impriment des vers ?" me demanda-t-il en haussant les épaules et me jetant un regard de pitié. "De la poésie dans cette tête !" pensai-je, car je ne connaissais encore rien de sa vie. "Quelle existence pourrait être aussi brillante que l'est la mienne ? dit-il en continuant, et son œil s'anima. Vous êtes jeune, vous avez les idées de votre sang, vous voyez des figures de femme dans vos tisons, moi je n'aperçois que des charbons dans les miens. Vous croyez à tout, moi je ne crois à rien. Gardez vos illusions, si vous le pouvez. Je vais vous faire le décompte de la vie. Soit que vous voyagiez, soit que vous restiez au coin de votre cheminée et de votre femme[1], il arrive toujours un âge auquel la vie n'est plus qu'une habitude exercée dans un certain milieu préféré. Le bonheur consiste alors dans l'exercice de nos facultés appliquées à des réalités. Hors ces deux préceptes, tout est faux. Mes principes ont varié comme ceux des hommes, j'en ai dû changer à chaque latitude. Ce que l'Europe admire, l'Asie le punit. Ce qui est un vice à Paris est une nécessité quand on a passé les Açores. Rien n'est fixe ici-bas, il n'y existe que des conventions qui se modifient suivant les climats. Pour qui s'est jeté forcément dans tous les moules sociaux, les convictions et les morales ne sont plus que des mots sans valeur. Reste en nous le seul sentiment vrai que la nature y ait mis : l'instinct de notre conservation. Dans vos sociétés européennes, cet instinct se nomme *intérêt personnel*. Si vous aviez vécu autant que moi vous sauriez qu'il n'est qu'une seule chose matérielle dont

1. Construction de phrase surprenante, par maladresse ou par humour de l'auteur.

la valeur soit assez certaine pour qu'un homme s'en occupe. Cette chose... c'est L'OR. L'or représente toutes les forces humaines. J'ai voyagé, j'ai vu qu'il y avait partout des plaines ou des montagnes : les plaines ennuient, les montagnes fatiguent ; les lieux ne signifient donc rien. Quant aux mœurs, l'homme est le même partout : partout le combat entre le pauvre et le riche est établi, partout il est inévitable ; il vaut donc mieux être l'exploitant que d'être l'exploité ; partout il se rencontre des gens musculeux qui travaillent et des gens lymphatiques[2] qui se tourmentent ; partout les plaisirs sont les mêmes, car partout les sens s'épuisent, et il ne leur survit qu'un seul sentiment, la vanité ! La vanité, c'est toujours le *moi*. La vanité ne se satisfait que par des flots d'or. Nos fantaisies veulent du temps, des moyens physiques ou des soins. Eh bien, l'or contient tout en germe, et donne tout en réalité. Il n'y a que des fous ou des malades qui puissent trouver du bonheur à battre les cartes tous les soirs pour savoir s'ils gagneront quelques sous. Il n'y a que des sots qui puissent employer leur temps à se demander ce qui se passe, si madame une telle s'est couchée sur son canapé seule ou en compagnie, si elle a plus de sang que de lymphe, plus de tempérament que de vertu. Il n'y a que des dupes qui puissent se croire utiles à leurs semblables en s'occupant à tracer des principes politiques pour gouverner des événements toujours imprévus. Il n'y a que des niais qui puissent aimer à parler des acteurs et à répéter leurs mots ; à faire tous les jours, mais sur un plus grand espace, la promenade que fait un animal dans sa loge ; à s'habiller pour les autres, à manger pour les autres ; à se glorifier d'un cheval ou d'une voiture que le voisin ne peut

330

340

350

2. Atteints de lymphatisme, maladie liée à la théorie ancienne des humeurs, qui se caractérise par un manque d'énergie.

avoir que trois jours après eux. N'est-ce pas la vie de vos Parisiens traduite en quelques phrases ? Voyons l'existence de plus haut qu'ils ne la voient. Le bonheur consiste ou en émotions fortes qui usent la vie, ou en occupations réglées qui en font une mécanique anglaise fonctionnant par temps réguliers. Au-dessus de ces bonheurs, il existe une curiosité, prétendue noble, de connaître les secrets de la nature ou d'obtenir une certaine imitation de ses effets. N'est-ce pas, en deux mots, l'Art ou la Science, la Passion ou le Calme ? Hé bien, toutes les passions humaines agrandies par le jeu de vos intérêts sociaux viennent parader devant moi qui vis dans le calme. Puis, votre curiosité scientifique, espèce de lutte où l'homme a toujours le dessous, je la remplace par la pénétration de tous les ressorts qui font mouvoir l'Humanité. En un mot, je possède le monde sans fatigue, et le monde n'a pas la moindre prise sur moi. Écoutez-moi, reprit-il, par le récit des événements de la matinée, vous devinerez mes plaisirs." Il se leva, alla pousser le verrou de sa porte, tira un rideau de vieille tapisserie dont les anneaux crièrent sur la tringle, et revint s'asseoir. "Ce matin, me dit-il, je n'avais que deux effets[1] à recevoir, les autres avaient été donnés la veille comme comptant à mes pratiques[2]. Autant de gagné ! car, à l'escompte, je déduis la course que me nécessite la recette, en prenant quarante sous pour un cabriolet de fantaisie. Ne serait-il pas plaisant qu'une pratique me fît traverser Paris pour six francs d'escompte, moi qui n'obéis à rien, moi qui ne paye que sept francs de contributions[3]. Le premier billet, valeur de mille francs présentée par un jeune homme, beau fils à gilets pailletés, à lorgnon, à tilbury[4], cheval anglais, etc., était signé par l'une des plus

1. Titres de créance.
2. Clients.
3. Somme à payer pour sa fonction d'usurier.
4. Voiture à cheval découverte à deux places.

jolies femmes de Paris, mariée à quelque riche propriétaire, un comte. Pourquoi cette comtesse avait-elle souscrit une lettre de change, nulle en droit, mais excellente en fait, car ces pauvres femmes craignent le scandale que produirait un protêt dans leur ménage et se donneraient en paiement plutôt que de ne pas payer ? Je voulais connaître la valeur secrète de cette lettre de change. Était-ce bêtise, imprudence, amour ou charité ? Le second billet, d'égale somme, signé Fanny Malvaut, m'avait été présenté par un marchand de toiles en train de se ruiner. Aucune personne, ayant quelque crédit à la banque, ne vient dans ma boutique, où le premier pas fait de ma porte à mon bureau dénonce un désespoir, une faillite près d'éclore, et surtout un refus d'argent éprouvé chez tous les banquiers. Aussi ne vois-je que des cerfs aux abois, traqués par la meute de leurs créanciers. La comtesse demeurait rue du Helder, et ma Fanny rue Montmartre. Combien de conjectures n'ai-je pas faites en m'en allant d'ici ce matin ? Si ces deux femmes n'étaient pas en mesure[5], elles allaient me recevoir avec plus de respect que si j'eusse été leur propre père. Combien de singeries la comtesse ne me jouerait-elle pas pour mille francs ? Elle allait prendre un air affectueux, me parler de cette voix dont les câlineries sont réservées à l'endosseur du billet, me prodiguer des paroles caressantes, me supplier peut-être, et moi…" Là, le vieillard me jeta son regard blanc. "Et moi, inébranlable ! reprit-il. Je suis là comme un vengeur, j'apparais comme un remords. Laissons les hypothèses. J'arrive. 'Mme la comtesse est couchée, me dit une femme de chambre. – Quand sera-t-elle visible ? – À midi. – Mme la comtesse serait-elle malade ? – Non, monsieur, mais elle est rentrée

5. En mesure de payer.

du bal à trois heures. – Je m'appelle Gobseck, dites-lui mon nom, je serai ici à midi.' Et je m'en vais en signant ma présence sur le tapis qui couvrait les dalles de l'escalier. J'aime à crotter les tapis de l'homme riche, non par petitesse, mais pour leur faire sentir la griffe de la Nécessité[1]. Parvenu rue Montmartre, à une maison de peu d'apparence, je pousse une vieille porte cochère, et vois une de ces cours obscures où le soleil ne pénètre jamais. La loge du portier était noire, le vitrage ressemblait à la manche d'une douillette[2] trop longtemps portée, il était gras, brun, lézardé. 'Mlle Fanny Malvaut ? – Elle est sortie, mais si vous venez pour un billet, l'argent est là. – Je reviendrai', dis-je. Du moment où le portier avait la somme, je voulais connaître la jeune fille ; je me figurais qu'elle était jolie. Je passe la matinée à voir les gravures étalées sur le boulevard ; puis, à midi sonnant, je traversais le salon qui précède la chambre de la comtesse. 'Madame me sonne à l'instant, me dit la femme de chambre, je ne crois pas qu'elle soit visible. – J'attendrai', répondis-je en m'asseyant sur un fauteuil. Les persiennes s'ouvrent, la femme de chambre accourt et me dit : 'Entrez, monsieur'. À la douceur de sa voix, je devinai que sa maîtresse ne devait pas être en mesure. Combien était belle la femme que je vis alors ! Elle avait jeté à la hâte sur ses épaules nues un châle de cachemire dans lequel elle s'enveloppait si bien que ses formes pouvaient se deviner dans leur nudité. Elle était vêtue d'un peignoir garni de ruches blanches comme neige et qui annonçait une dépense annuelle d'environ deux mille francs chez la blanchisseuse en fin[3]. Ses cheveux noirs s'échappaient en grosses boucles d'un joli madras négligemment noué sur sa tête à la manière

1. Figure allégorique renvoyant à la déesse de la Fatalité, fille de la Fortune.
2. Vêtement d'hiver porté sur d'autres vêtements.
3. En linge délicat.

des créoles. Son lit offrait le tableau d'un désordre produit sans doute par un sommeil agité. Un peintre aurait payé pour rester pendant quelques moments au milieu de cette scène. Sous des draperies voluptueusement attachées, un oreiller enfoncé sur un édredon de soie bleue, et dont les garnitures en dentelle se détachaient vivement sur ce fond d'azur, offrait l'empreinte de formes indécises qui réveillaient l'imagination. Sur une large peau d'ours, étendue aux pieds des lions ciselés dans l'acajou du lit, brillaient deux souliers de satin blanc, jetés avec l'incurie[4] que cause la lassitude d'un bal. Sur une chaise était une robe froissée dont les manches touchaient à terre. Des bas que le moindre souffle d'air aurait emportés étaient tortillés dans le pied d'un fauteuil. De blanches jarretières flottaient le long d'une causeuse. Un éventail de prix, à moitié déplié, reluisait sur la cheminée. Les tiroirs de la commode restaient ouverts. Des fleurs, des diamants, des gants, un bouquet, une ceinture gisaient çà et là. Je respirais une vague odeur de parfums. Tout était luxe et désordre, beauté sans harmonie. Mais déjà, pour elle ou pour son adorateur, la misère, tapie là-dessous, dressait la tête et leur faisait sentir ses dents aiguës. La figure fatiguée de la comtesse ressemblait à cette chambre parsemée des débris d'une fête. Ces brimborions[5] épars me faisaient pitié ; rassemblés, ils avaient causé la veille quelque délire. Ces vestiges d'un amour foudroyé par le remords, cette image d'une vie de dissipation, de luxe et de bruit, trahissaient des efforts de Tantale[6] pour embrasser de fuyants plaisirs. Quelques rougeurs semées sur le visage de la jeune femme attestaient la finesse de sa peau ; mais ses traits étaient comme grossis, et le cercle brun qui se

4. Négligence, manque de soin.
5. Choses sans valeur et sans utilité.
6. Héros de la mythologie, condamné à vivre éternellement sans pouvoir boire ni manger, tout en ayant sous les yeux de quoi s'abreuver et s'alimenter.

dessinait sous ses yeux semblait être plus fortement marqué qu'à l'ordinaire. Néanmoins la nature avait assez d'énergie en elle pour que ces indices de folie n'altérassent pas sa beauté. Ses yeux étincelaient. Semblable à l'une de ces Hérodiades dues au pinceau de Léonard de Vinci (j'ai brocanté les tableaux), elle était magnifique de vie et de force ; rien de mesquin dans ses contours ni dans ses traits ; elle inspirait l'amour, et me semblait devoir être plus forte que l'amour. Elle me plut. Il y avait longtemps que mon cœur n'avait battu. J'étais donc déjà payé ! je donnerais mille francs d'une sensation qui me ferait souvenir de ma jeunesse. 'Monsieur, me dit-elle en me présentant une chaise, auriez-vous la complaisance d'attendre ? – Jusqu'à demain midi, madame, répondis-je en repliant le billet que je lui avais présenté, je n'ai le droit de protester qu'à cette heure-là.' Puis, en moi-même, je me disais : 'Paie ton luxe, paie ton nom, paie ton bonheur, paie le monopole dont tu jouis. Pour se garantir leurs biens, les riches ont inventé des tribunaux, des juges, et cette guillotine, espèce de bougie où viennent se brûler les ignorants. Mais, pour vous qui couchez sur la soie et sous la soie, il est des remords, des grincements de dents cachés sous un sourire, et des gueules de lions fantastiques qui vous donnent un coup de dent au cœur.' 'Un protêt ! y pensez-vous ? s'écria-t-elle en me regardant, vous auriez si peu d'égards pour moi ! – Si le roi me devait, madame, et qu'il ne me payât pas, je l'assignerais encore plus promptement que tout autre débiteur.' En ce moment nous entendîmes frapper doucement à la porte de la chambre. 'Je n'y suis pas ! dit impérieusement la jeune femme. – Anastasie, je voudrais cependant bien vous

---

Hérodiade et Salomé

Léonard de Vinci n'a pas peint ce type de tableaux, mais on lui en attribuait la paternité à cette époque. Hérodiade, selon le Nouveau Testament, est une princesse juive, à la fois adultère et incestueuse, dénoncée par saint Jean-Baptiste. Elle envoya sa fille, Salomé, séduire le roi Hérode par une danse lascive afin d'obtenir de lui la tête de Jean-Baptiste. Ce récit, concentré de sensualité, de transgression des interdits et de cruauté, a inspiré tout le XIXe siècle. L'assimilation de Mme de Restaud à Hérodiade est une clé de lecture du personnage. ■

Hérodiade, peinture de l'école italienne, XVIIᵉ siècle.

voir. – Pas en ce moment, mon cher, répondit-elle d'une
voix moins dure, mais néanmoins sans douceur. – Quelle
plaisanterie ! vous parlez à quelqu'un', répondit en entrant
un homme qui ne pouvait être que le comte. La comtesse
me regarda, je la compris, elle devint mon esclave. Il fut
un temps, jeune homme, où j'aurais été peut-être assez
bête pour ne pas protester. En 1763, à Pondichéry, j'ai fait
grâce à une femme qui m'a joliment roué[1]. Je le méritais,
pourquoi m'étais-je fié à elle ? 'Que veut monsieur ?' me
demanda le comte. Je vis la femme frissonnant de la tête
aux pieds, la peau blanche et satinée de son cou devint
rude, elle avait, suivant un terme familier, la chair de
poule. Moi, je riais, sans qu'un de mes muscles ne tres-
saillît. – 'Monsieur est un de mes fournisseurs', dit-elle.
Le comte me tourna le dos, je tirai le billet à moitié hors
de ma poche. À ce mouvement inexorable, la jeune femme
vint à moi, me présenta un diamant : 'Prenez, dit-elle, et
allez-vous-en.' Nous échangeâmes les deux valeurs, et je
sortis en la saluant. Le diamant valait bien une douzaine
de cents francs pour moi. Je trouvai dans la cour une nuée
de valets qui brossaient leurs livrées, ciraient leurs bottes
ou nettoyaient de somptueux équipages[2]. 'Voilà, me dis-je,
ce qui amène ces gens-là chez moi. Voilà ce qui les pousse
à voler décemment des millions, à trahir leur patrie. Pour
ne pas se crotter en allant à pied, le grand seigneur, ou
celui qui le singe, prend une bonne fois un bain de boue !'
En ce moment, la grande porte s'ouvrit, et livra passage
au cabriolet du jeune homme qui m'avait présenté le
billet. 'Monsieur, lui dis-je quand il fut descendu, voici
deux cents francs que je vous prie de rendre à Mme la
comtesse, et vous lui ferez observer que je tiendrai à sa

1. Trompé.
2. Voitures et matériel
   qui leur est nécessaire.

disposition pendant huit jours le gage qu'elle m'a remis ce matin.' Il prit les deux cents francs, et laissa échapper un sourire moqueur, comme s'il eût dit : 'Ha ! elle a payé. Ma foi, tant mieux !' J'ai lu sur cette physionomie l'avenir de la comtesse. Ce joli monsieur blond, froid, joueur sans âme, se ruinera, la ruinera, ruinera le mari, ruinera les enfants, mangera leurs dots, et causera plus de ravages à travers les salons que n'en causerait une batterie d'obusiers dans un régiment. Je me rendis rue Montmartre, chez Mlle Fanny. Je montai un petit escalier bien raide. Arrivé au cinquième étage, je fus introduit dans un appartement composé de deux chambres où tout était propre comme un ducat[3] neuf. Je n'aperçus pas la moindre trace de poussière sur les meubles de la première pièce où me reçut Mlle Fanny, jeune fille parisienne, vêtue simplement : tête élégante et fraîche, air avenant, des cheveux châtains bien peignés, qui, retroussés en deux arcs sur les tempes, donnaient de la finesse à des yeux bleus, purs comme du cristal. Le jour, passant à travers de petits rideaux tendus aux carreaux, jetait une lueur douce sur sa modeste figure. Autour d'elle, de nombreux morceaux de toile taillés me dénoncèrent ses occupations habituelles, elle ouvrait[4] du linge. Elle était là comme le génie de la solitude. Quand je lui présentai le billet, je lui dis que je ne l'avais pas trouvée le matin. 'Mais, dit-elle, les fonds étaient chez la portière.' Je feignis de ne pas entendre. 'Mademoiselle sort de bonne heure, à ce qu'il paraît ? – Je suis rarement hors de chez moi ; mais quand on travaille la nuit, il faut bien quelquefois se baigner.' Je la regardai. D'un coup d'œil, je devinai tout. C'était une fille condamnée au travail par le malheur, et qui appartenait à quelque famille d'honnêtes

> « *Le personnage de Mme de Restaud court après ce qu'elle croit être son bonheur.* »
>
> Jean-Daniel Verhaeghe, *réalisateur*

3. Monnaie d'or fin.
4. Brodait.

fermiers, car elle avait quelques-uns de ces grains de rous-
seur particuliers aux personnes nées à la campagne. Je ne
sais quel air de vertu respirait dans ses traits. Il me sembla
que j'habitais une atmosphère de sincérité, de candeur, où
mes poumons se rafraîchissaient. Pauvre innocente ! elle
croyait à quelque chose : sa simple couchette en bois peint
était surmontée d'un crucifix orné de deux branches de
buis. Je fus quasi touché. Je me sentais disposé à lui offrir
de l'argent à douze pour cent seulement, afin de lui
580 faciliter l'achat de quelque bon établissement. 'Mais, me
dis-je, elle a peut-être un petit cousin qui se ferait de
l'argent avec sa signature, et grugerait la pauvre fille.' Je
m'en suis donc allé, me mettant en garde contre mes idées
généreuses, car j'ai souvent eu l'occasion d'observer que
quand la bienfaisance ne nuit pas au bienfaiteur, elle tue
l'obligé. Lorsque vous êtes entré, je pensai que Fanny
Malvaut serait une bonne petite femme ; j'opposais sa vie
pure et solitaire à celle de cette comtesse qui, déjà tombée
dans la lettre de change, va rouler jusqu'au fond des
590 abîmes du vice ! Eh bien, reprit-il après un moment de
silence profond pendant lequel je l'examinais, croyez-vous
que ce ne soit rien que de pénétrer ainsi dans les plus
secrets replis du cœur humain, d'épouser la vie des
autres, et de la voir à nu ? Des spectacles toujours variés :
des plaies hideuses, des chagrins mortels, des scènes
d'amour, des misères que les eaux de la Seine attendent,
des joies de jeune homme qui mènent à l'échafaud, des
rires de désespoir et des fêtes somptueuses. Hier, une
tragédie : quelque bonhomme de père qui s'asphyxie
600 parce qu'il ne peut plus nourrir ses enfants. Demain, une
comédie : un jeune homme essaiera de me jouer la scène

de M. Dimanche[1], avec les variantes de notre époque. Vous avez entendu vanter l'éloquence des derniers prédicateurs[2], je suis allé parfois perdre mon temps à les écouter, ils m'ont fait changer d'opinion, mais de conduite, comme disait je ne sais qui, jamais. Hé bien, ces bons prêtres, votre Mirabeau, Vergniaud[3] et les autres ne sont que des bègues auprès de mes orateurs. Souvent une jeune fille amoureuse, un vieux négociant sur le penchant de sa faillite, une mère qui veut cacher la faute de son fils, un artiste sans pain, un grand sur le déclin de la faveur, et qui, faute d'argent, va perdre le fruit de ses efforts, m'ont fait frissonner par la puissance de leur parole. Ces sublimes acteurs jouaient pour moi seul, et sans pouvoir me tromper. Mon regard est comme celui de Dieu, je vois dans les cœurs. Rien ne m'est caché. L'on ne refuse rien à qui lie et délie les cordons du sac. Je suis assez riche pour acheter les consciences de ceux qui font mouvoir les ministres, depuis leurs garçons de bureau jusqu'à leurs maîtresses : n'est-ce pas le Pouvoir ? Je puis avoir les plus belles femmes et leurs plus tendres caresses, n'est-ce pas le Plaisir ? Le Pouvoir et le Plaisir ne résument-ils pas tout votre ordre social ? Nous sommes dans Paris une dizaine ainsi, tous rois silencieux et inconnus, les arbitres de vos destinées. La vie n'est-elle pas une machine à laquelle l'argent imprime le mouvement ? Sachez-le, les moyens se confondent toujours avec les résultats : vous n'arriverez jamais à séparer l'âme des sens, l'esprit de la matière. L'or est le spiritualisme de vos sociétés actuelles. Liés par le même intérêt, nous nous rassemblons à certains jours de la semaine au café Thémis[4], près du Pont-Neuf. Là, nous nous révélons les mystères de la finance. Aucune fortune

1. Allusion au *Dom Juan* de Molière, où le héros se débarrasse de M. Dimanche, son créancier.
2. Ceux qui prêchent une doctrine (notamment religieuse).
3. Révolutionnaires célèbres pour leur talent oratoire.
4. La Justice (en grec).

ne peut nous mentir, nous possédons les secrets de toutes les familles. Nous avons une espèce de *livre noir* où s'inscrivent les notes les plus importantes sur le crédit public, sur la Banque, sur le Commerce. Casuistes[1] de la Bourse, nous formons un Saint-Office[2] où se jugent et s'analysent les actions les plus indifférentes de tous les gens qui possèdent une fortune quelconque, et nous devinons toujours vrai. Celui-ci surveille la masse judiciaire, celui-là la masse financière ; l'un la masse administrative, l'autre la masse commerciale. Moi, j'ai l'œil sur les fils de famille, les artistes, les gens du monde, et sur les joueurs, la partie la plus émouvante de Paris. Chacun nous dit les secrets du voisin. Les passions trompées, les vanités froissées sont bavardes. Les vices, les désappointements, les vengeances sont les meilleurs agents de police. Comme moi, tous mes confrères ont joui de tout, se sont rassasiés de tout, et sont arrivés à n'aimer le pouvoir et l'argent que pour le pouvoir et l'argent même. Ici, dit-il, en me montrant sa chambre nue et froide, l'amant le plus fougueux qui s'irrite ailleurs d'une parole et tire l'épée pour un mot, prie à mains jointes ! Ici le négociant le plus orgueilleux, ici la femme la plus vaine de sa beauté, ici le militaire le plus fier prient tous, la larme à l'œil ou de rage ou de douleur. Ici prient l'artiste le plus célèbre et l'écrivain dont les noms sont promis à la postérité. Ici enfin, ajouta-t-il en portant la main à son front, se trouve une balance dans laquelle se pèsent les successions et les intérêts de Paris tout entier. Croyez-vous maintenant qu'il n'y ait pas de jouissances sous ce masque blanc dont l'immobilité vous a si souvent étonné ?" dit-il en me tendant son visage blême qui sentait l'argent. Je retournai chez moi stupéfait. Ce petit vieillard

1. Théologiens qui s'occupent des cas de conscience.
2. Tribunal (à l'origine, tribunal de l'Inquisition).

sec avait grandi. Il s'était changé à mes yeux en une image fantastique où se personnifiait le pouvoir de l'or. La vie, les hommes me faisaient horreur. "Tout doit-il donc se résoudre par l'argent ?" me demandais-je. Je me souviens de ne m'être endormi que très tard. Je voyais des monceaux d'or autour de moi. La belle comtesse m'occupa. J'avouerai à ma honte qu'elle éclipsait complètement l'image de la sim- 670 ple et chaste créature vouée au travail et à l'obscurité ; mais le lendemain matin, à travers les nuées de mon réveil, la douce Fanny m'apparut dans toute sa beauté, je ne pensai plus qu'à elle.

– Voulez-vous un verre d'eau sucrée ? dit la vicomtesse en interrompant Derville.

– Volontiers, répondit-il.

– Mais je ne vois là-dedans rien qui puisse nous concer- ner, dit Mme de Grandlieu en sonnant.

– Sardanapale[3] ! s'écria Derville en lâchant son juron, 680 je vais bien réveiller Mlle Camille en lui disant que son bonheur dépendait naguère du papa Gobseck, mais comme le bonhomme est mort à l'âge de quatre-vingt- neuf ans, M. de Restaud entrera bientôt en possession d'une belle fortune. Ceci veut des explications. Quant à Fanny Malvaut, vous la connaissez, c'est ma femme !

– Le pauvre garçon, répliqua la vicomtesse, avouerait cela devant vingt personnes avec sa franchise ordinaire.

– Je le crierais à tout l'univers, dit l'avoué.

– Buvez, buvez, mon pauvre Derville. Vous ne serez 690 jamais rien, que le plus heureux et le meilleur des hommes.

– Je vous ai laissé rue du Helder, chez une comtesse, s'écria l'oncle en relevant sa tête légèrement assoupie. Qu'en avez-vous fait ?

3. Tyran de l'antiquité assyrienne, type du souverain débauché. Derville en fait son juron favori.

– Quelques jours après la conversation que j'avais eue avec le vieux Hollandais, je passai ma thèse, reprit Derville. Je fus reçu licencié en droit, et puis avocat. La confiance que le vieil avare avait en moi s'accrut beaucoup. Il me consultait gratuitement sur les affaires épineuses dans lesquelles il s'embarquait d'après des données sûres, et qui eussent semblé mauvaises à tous les praticiens. Cet homme, sur lequel personne n'aurait pu prendre le moindre empire, écoutait mes conseils avec une sorte de respect. Il est vrai qu'il s'en trouvait toujours très bien. Enfin, le jour où je fus nommé maître-clerc de l'étude où je travaillais depuis trois ans, je quittai la maison de la rue des Grès, et j'allai demeurer chez mon patron, qui me donna la table, le logement et cent cinquante francs par mois. Ce fut un beau jour ! Quand je fis mes adieux à l'usurier, il ne me témoigna ni amitié ni déplaisir, il ne m'engagea pas à le venir voir ; il me jeta seulement un de ces regards qui, chez lui, semblaient en quelque sorte trahir le don de seconde vue. Au bout de huit jours, je reçus la visite de mon ancien voisin, il m'apportait une affaire assez difficile, une expropriation ; il continua ses consultations gratuites avec autant de liberté que s'il me payait. À la fin de la seconde année, de 1818 à 1819, mon patron, homme de plaisir et fort dépensier, se trouva dans une gêne considérable, et fut obligé de vendre sa charge. Quoique en ce moment les études n'eussent pas acquis la valeur exorbitante à laquelle elles sont montées aujourd'hui, mon patron donnait la sienne, en n'en demandant que cent cinquante mille francs. Un homme actif, instruit, intelligent pouvait vivre honorablement, payer les intérêts de cette somme, et s'en libérer en dix années pour peu qu'il inspirât de confiance.

Moi, le septième enfant d'un petit bourgeois de Noyon[1], je ne possédais pas une obole[2], et ne connaissais dans le monde d'autre capitaliste que le papa Gobseck. Une pensée ambitieuse, et je ne sais quelle lueur d'espoir me prêtèrent le courage d'aller le trouver. Un soir donc, je cheminai lentement jusqu'à la rue des Grès. Le cœur me battit bien fortement quand je frappai à la sombre maison. Je me souvenais de tout ce que m'avait dit autrefois le vieil avare dans un temps où j'étais bien loin de soupçonner la violence des angoisses qui commençaient au seuil de cette porte. J'allais donc le prier comme tant d'autres. "Eh bien, non, me dis-je, un honnête homme doit partout garder sa dignité. La fortune ne vaut pas une lâcheté, montrons-nous positif autant que lui." Depuis mon départ, le papa Gobseck avait loué ma chambre pour ne pas avoir de voisin ; il avait aussi fait poser une petite chatière grillée au milieu de sa porte, et il ne m'ouvrit qu'après avoir reconnu ma figure. "Hé bien, me dit-il de sa petite voix flûtée, votre patron vend son étude. – Comment savez-vous cela ? Il n'en a encore parlé qu'à moi." Les lèvres du vieillard se tirèrent vers les coins de sa bouche absolument comme des rideaux, et ce sourire muet fut accompagné d'un regard froid. "Il fallait cela pour que je vous visse chez moi, ajouta-t-il d'un ton sec et après une pause pendant laquelle je demeurai confondu. – Écoutez-moi, monsieur Gobseck", repris-je avec autant de calme que je pus en affecter devant ce vieillard qui fixait sur moi des yeux impassibles dont le feu clair me troublait. Il fit un geste comme pour me dire : Parlez. "Je sais qu'il est fort difficile de vous émouvoir. Aussi ne perdrai-je pas mon éloquence à essayer de vous peindre la situation d'un clerc sans le sou,

730

740

750

1. Petite ville de l'Oise.
2. Pas un sou.

qui n'espère qu'en vous, et n'a dans le monde d'autre cœur que le vôtre dans lequel il puisse trouver l'intelligence de son avenir. Laissons le cœur. Les affaires se font comme

760 des affaires, et non comme des romans, avec de la sensiblerie. Voici le fait. L'étude de mon patron rapporte annuellement entre ses mains une vingtaine de mille francs ; mais je crois qu'entre les miennes elle en vaudra quarante. Il veut la vendre cinquante mille écus. Je sens là, dis-je en me frappant le front, que si vous pouviez me prêter la somme nécessaire à cette acquisition, je serais libéré dans dix ans. – Voilà parler, répondit le papa Gobseck qui me tendit la main et serra la mienne. Jamais, depuis que je suis dans les affaires, reprit-il, personne ne m'a déduit plus clairement

770 les motifs de sa visite. Des garanties ? dit-il en me toisant de la tête aux pieds. Néant, ajouta-t-il après une pause. Quel âge avez-vous ? – Vingt-cinq ans dans dix jours, répondis-je ; sans cela, je ne pourrais traiter. – Juste ! – Hé bien ? – Possible. – Ma foi, il faut aller vite ; sans cela, j'aurai des enchérisseurs[1]. – Apportez-moi demain matin votre extrait de naissance, et nous parlerons de votre affaire : j'y songerai." Le lendemain, à huit heures, j'étais chez le vieillard. Il prit le papier officiel, mit ses lunettes, toussa, cracha, s'enveloppa dans sa houppelande[2] noire, et

780 lut l'extrait des registres de la mairie tout entier. Puis il le tourna, le retourna, me regarda, retoussa, s'agita sur sa chaise, et il me dit : "C'est une affaire que nous allons tâcher d'arranger." Je tressaillis. "Je tire cinquante pour cent de mes fonds, reprit-il, quelquefois cent, deux cents, cinq cents pour cent." À ces mots, je pâlis. "Mais, en faveur de notre connaissance, je me contenterai de douze et demi pour cent d'intérêt par…" Il hésita. "Eh bien oui,

1. Ceux qui proposent une enchère dans une vente, c'est-à-dire qui font monter le prix au-delà de la valeur fixée.
2. Ample et long manteau.

pour vous je me contenterai de treize pour cent par an. Cela vous va-t-il ? – Oui, répondis-je. – Mais si c'est trop, répliqua-t-il, défendez-vous, Grotius[3] !" Il m'appelait Grotius en plaisantant. "En vous demandant treize pour cent, je fais mon métier ; voyez si vous pouvez les payer. Je n'aime pas un homme qui tope à tout. Est-ce trop ? – Non, dis-je, je serai quitte pour prendre un peu plus de mal. – Parbleu ! dit-il en me jetant son malicieux regard oblique, vos clients paieront. – Non, de par tous les diables, m'écriai-je, ce sera moi. Je me couperais la main plutôt que d'écorcher le monde ! – Bonsoir[4], me dit papa Gobseck. – Mais les honoraires sont tarifés, repris-je. – Ils ne le sont pas, reprit-il, pour les transactions, pour les atermoiements, pour les conciliations. Vous pouvez alors compter des mille francs, des six mille francs même, suivant l'importance des intérêts, pour vos conférences, vos courses, vos projets d'actes, vos mémoires et votre verbiage. Il faut savoir rechercher ces sortes d'affaires. Je vous recommanderai comme le plus savant et le plus habile des avoués, je vous enverrai tant de procès de ce genre-là, que vous ferez crever vos confrères de jalousie. Werbrust, Palma, Gigonnet, mes confrères, vous donneront leurs expropriations ; et, Dieu sait s'ils en ont ! Vous aurez ainsi deux clientèles, celle que vous achetez et celle que je vous ferai. Vous devriez presque me donner quinze pour cent de mes cent cinquante mille francs. – Soit, mais pas plus", dis-je avec la fermeté d'un homme qui ne voulait plus rien accorder au-delà. Le papa Gobseck se radoucit et parut content de moi. "Je paierai moi-même, reprit-il, la charge à votre patron, de manière à m'établir un privilège bien solide sur le prix et le cautionnement. – Oh ! tout ce que

3. Nom latinisé d'un célèbre juriste hollandais du XVIIe siècle.
4. Expression ironique signifiant que l'affaire est réglée et que l'on se désintéresse de la question.

Gobseck a bâti sa fortune sur les intérêts prélevés auprès d'emprunteurs en difficulté, mais souvent issus de milieux très en vue, ce qui lui donne un moyen non négligeable de rentrer dans ses fonds : la peur du scandale. Il confie à Derville l'aspect purement juridique de ses affaires complexes, risquées et douteuses, lui assurant ainsi notoriété et revenus confortables s'il réussit. Gobseck est un usurier « infréquentable », mais il fait appel à un jeune juriste habile et honnête qui le sert sans « perdre son âme » et qui peut donc fréquenter la « jetset » de l'époque. ∎

vous voudrez pour les garanties. – Puis, vous m'en représenterez la valeur en quinze lettres de change acceptées en blanc, chacune pour une somme de dix mille francs. – Pourvu que cette double valeur soit constatée[1]. – Non, s'écria Gobseck en m'interrompant. Pourquoi voulez-vous que j'aie plus de confiance en vous que vous n'en avez en moi ?" Je gardai le silence. "Et puis vous ferez, dit-il en continuant avec un ton de bonhomie, mes affaires sans exiger d'honoraires tant que je vivrai, n'est-ce pas ? – Soit, pourvu qu'il n'y ait pas d'avances de fonds. – Juste ! dit-il. Ah çà, reprit le vieillard dont la figure avait peine à prendre un air de bonhomie, vous me permettrez d'aller vous voir ? – Vous me ferez toujours plaisir. – Oui, mais le matin cela sera bien difficile. Vous aurez vos affaires, et j'ai les miennes. – Venez le soir. – Oh ! non, répondit-il vivement, vous devez aller dans le monde, voir vos clients. Moi, j'ai mes amis, à mon café." "Ses amis !" pensai-je. "Eh bien, dis-je, pourquoi ne pas prendre l'heure du dîner[2] ? – C'est cela, dit Gobseck. Après la Bourse, à cinq heures. Eh bien, vous me verrez tous les mercredis et les samedis. Nous causerons de nos affaires comme un couple d'amis. Ah ! ah ! je suis gai quelquefois. Donnez-moi une aile de perdrix et un verre de vin de Champagne, nous causerons. Je sais bien des choses qu'aujourd'hui l'on peut dire, et qui vous apprendront à connaître les hommes et surtout les femmes. – Va pour la perdrix et le verre de vin de Champagne. – Ne faites pas de folies, autrement vous perdriez ma confiance. Ne prenez pas un grand train de maison. Ayez une vieille bonne, une seule. J'irai vous visiter pour m'assurer de votre santé. J'aurai un capital placé sur votre tête, hé ! hé ! je dois m'informer de vos affaires. Allons, venez ce soir avec votre patron.

1. Mise officiellement par écrit, dans une forme de contrat.
2. Repas de l'après-midi.

– Pourriez-vous me dire, s'il n'y a pas d'indiscrétion à le demander, dis-je au petit vieillard quand nous atteignîmes au seuil de la porte, de quelle importance était mon extrait de baptême dans cette affaire ?" Jean-Esther Van Gobseck haussa les épaules, sourit malicieusement et me répondit : "Combien la jeunesse est sotte ! Apprenez donc, monsieur l'avoué, car il faut que vous le sachiez pour ne pas vous laisser prendre, qu'avant trente ans la probité et le talent sont encore des espèces d'hypothèques[3]. Passé cet âge, l'on ne peut plus compter sur un homme." Et il ferma sa porte. Trois mois après, j'étais avoué. Bientôt j'eus le bonheur, madame, de pouvoir entreprendre les affaires concernant la restitution de vos propriétés. Le gain de ces procès me fit connaître. Malgré les intérêts énormes que j'avais à payer à Gobseck, en moins de cinq ans je me trouvai libre d'engagements. J'épousai Fanny Malvaut que j'aimais sincèrement. La conformité de nos destinées, de nos travaux, de nos succès augmentait la force de nos sentiments. Un de ses oncles, fermier devenu riche, était mort en lui laissant soixante-dix mille francs qui m'aidèrent à m'acquitter. Depuis ce jour, ma vie ne fut que bonheur et prospérité. Ne parlons donc plus de moi, rien n'est insupportable comme un homme heureux. Revenons à nos personnages. Un an après l'acquisition de mon étude, je fus entraîné, presque malgré moi, dans un déjeuner de garçon. Ce repas était la suite d'une gageure[4] perdue par un de mes camarades contre un jeune homme alors fort en vogue dans le monde élégant. M. de Trailles, la fleur du *dandysme*[5] de ce temps-là, jouissait d'une immense réputation…

– Mais il en jouit encore, dit le comte de Born en interrompant l'avoué. Nul ne porte mieux un habit, ne conduit

3. L'expression signifie que l'honnêteté et le talent sont des garanties pour l'avenir, mais seulement avant trente ans.
4. Pari.
5. Voir encadré, p. 16.

un *tandem*[1] mieux que lui. Maxime a le talent de jouer, de manger et de boire avec plus de grâce que qui que ce soit au monde. Il se connaît en chevaux, en chapeaux, en tableaux. Toutes les femmes raffolent de lui. Il dépense toujours environ cent mille francs par an sans qu'on lui connaisse une seule propriété, ni un seul coupon de rente[2]. Type de la chevalerie errante[3] de nos salons, de nos boudoirs, de nos boulevards, espèce amphibie qui tient autant de l'homme que de la femme, le comte Maxime de Trailles est un être singulier, bon à tout et propre à rien, craint et méprisé, sachant et ignorant tout, aussi capable de commettre un bienfait que de résoudre un crime, tantôt lâche et tantôt noble, plutôt couvert de boue que taché de sang, ayant plus de soucis que de remords, plus occupé de bien digérer que de penser, feignant des passions et ne ressentant rien. Anneau brillant qui pourrait unir le bagne à la haute société, Maxime de Trailles est un homme qui appartient à cette classe éminemment intelligente d'où s'élancent parfois un Mirabeau, un Pitt, un Richelieu, mais qui le plus souvent fournit des comtes de Horn, des Fouquier-Tinville et des Coignard[4].

– Eh ! bien, reprit Derville après avoir écouté le frère de la vicomtesse, j'avais beaucoup entendu parler de ce personnage par ce pauvre père Goriot[5], l'un de mes clients, mais j'avais évité déjà plusieurs fois le dangereux honneur de sa connaissance quand je le rencontrais dans le monde. Cependant mon camarade me fit de telles instances pour obtenir de moi d'aller à son déjeuner, que je ne pouvais m'en dispenser sans être taxé de *bégueulisme*[6]. Il vous serait difficile de concevoir un déjeuner de garçon, madame. C'est une magnificence et une recherche rares,

890

900

910

1. Cabriolet découvert tiré par deux chevaux placés l'un derrière l'autre.
2. Papier détachable qui permet de percevoir l'argent d'une rente.
3. Le chevalier errant qui poursuit une quête est la figure clé des romans de chevalerie du Moyen Âge.
4. Les trois premiers personnages sont des hommes politiques éminents, les trois derniers des aventuriers habiles mais malhonnêtes ou criminels.
5. Personnage principal d'un autre roman de Balzac. Voir contextes (p. 5) et « l'œuvre en débat » (p. 116 et 121).
6. Attitude exagérément réservée et austère.

le luxe d'un avare qui par vanité devient fastueux pour un jour. En entrant, on est surpris de l'ordre qui règne sur une table éblouissante d'argent, de cristaux, de linge damassé. La vie est là dans sa fleur : les jeunes gens sont gracieux, ils sourient, parlent bas et ressemblent à de jeunes mariées, autour d'eux tout est vierge. Deux heures après, vous diriez d'un champ de bataille après le combat : partout des verres brisés, des serviettes foulées, chiffonnées ; des mets entamés qui répugnent à voir ; puis, c'est des cris à fendre la tête, des toasts[7] plaisants, un feu d'épigrammes[8] et de mauvaises plaisanteries, des visages empourprés, des yeux enflammés qui ne disent plus rien, des confidences involontaires qui disent tout. Au milieu d'un tapage infernal, les uns cassent des bouteilles, d'autres entonnent des chansons ; l'on se porte des défis, l'on s'embrasse ou l'on se bat ; il s'élève un parfum détestable composé de cent odeurs et des cris composés de cent voix ; personne ne sait plus ce qu'il mange, ce qu'il boit, ni ce qu'il dit ; les uns sont tristes, les autres babillent ; celui-ci est monomane[9] et répète le même mot comme une cloche qu'on a mise en branle ; celui-là veut commander au tumulte ; le plus sage propose une orgie. Si quelque homme de sang-froid entrait, il se croirait à quelque bacchanale[10]. Ce fut au milieu d'un tumulte semblable, que M. de Trailles essaya de s'insinuer dans mes bonnes grâces. J'avais à peu près conservé ma raison, j'étais sur mes gardes. Quant à lui, quoiqu'il affectât d'être décemment ivre, il était plein de sang-froid et songeait à ses affaires. En effet, je ne sais comment cela se fit, mais en sortant des salons de Grignon, sur les neuf heures du soir, il m'avait entièrement ensorcelé, je lui avais promis de l'amener le lendemain

7. Petits discours que l'on prononce quand on lève son verre en l'honneur de quelqu'un.
8. Traits d'esprit.
9. Personne obsédée par une idée fixe.
10. Fête antique en l'honneur de Bacchus, synonyme de débauche.

chez notre papa Gobseck. Les mots : honneur, vertu, comtesse, femme honnête, malheur, s'étaient, grâce à sa langue dorée, placés comme par magie dans ses discours. Lorsque je me réveillai le lendemain matin, et que je voulus me souvenir de ce que j'avais fait la veille, j'eus beaucoup de peine à lier quelques idées. Enfin, il me sembla que la fille d'un de mes clients était en danger de perdre sa réputation, l'estime et l'amour de son mari, si elle ne trouvait pas une cinquantaine de mille francs dans la matinée. Il y avait des dettes de jeu, des mémoires de carrossier[1], de l'argent perdu je ne sais à quoi. Mon prestigieux convive m'avait assuré qu'elle était assez riche pour réparer par quelques années d'économie l'échec qu'elle allait faire à sa fortune. Seulement alors je commençai à deviner la cause des instances de mon camarade. J'avoue, à ma honte, que je ne me doutais nullement de l'importance qu'il y avait pour le papa Gobseck à se raccommoder avec ce dandy. Au moment où je me levais, M. de Trailles entra. "Monsieur le comte, lui dis-je après nous être adressé les compliments d'usage, je ne vois pas que vous ayez besoin de moi pour vous présenter chez Van Gobseck, le plus poli, le plus anodin de tous les capitalistes. Il vous donnera de l'argent s'il en a, ou plutôt si vous lui présentez des garanties suffisantes. — Monsieur, me répondit-il, il n'entre pas dans ma pensée de vous forcer à me rendre un service, quand même vous me l'auriez promis." "Sardanapale ! me dis-je en moi-même, laisserai-je croire à cet homme-là que je lui manque de parole ?" "J'ai eu l'honneur de vous dire hier que je m'étais fort mal à propos brouillé avec le papa Gobseck, dit-il en continuant. Or, comme il n'y a guère que lui à Paris qui puisse cracher

1. Factures de loueur ou de vendeur de carrosses.

en un moment, et le lendemain d'une fin de mois, une centaine de mille francs, je vous avais prié de faire ma paix avec lui. Mais n'en parlons plus…" M. de Trailles me regarda d'un air poliment insultant et se disposait à s'en aller. "Je suis prêt à vous conduire", lui dis-je. Lorsque nous arrivâmes rue des Grès, le dandy regardait autour de lui avec une attention et une inquiétude qui m'étonnèrent. Son visage devenait livide, rougissait, jaunissait tour à tour, et quelques gouttes de sueur parurent sur son front quand il aperçut la porte de la maison de Gobseck. Au moment où nous descendîmes de cabriolet, un fiacre entra dans la rue des Grès. L'œil de faucon du jeune homme lui permit de distinguer une femme au fond de cette voiture. Une expression de joie presque sauvage anima sa figure, il appela un petit garçon qui passait et lui donna son cheval à tenir. Nous montâmes chez le vieil escompteur. "Monsieur Gobseck, lui dis-je, je vous amène un de mes plus intimes amis (de qui je me défie autant que du diable, ajoutai-je à l'oreille du vieillard). À ma considération, vous lui rendrez vos bonnes grâces (au taux ordinaire), et vous le tirerez de peine (si cela vous convient)." M. de Trailles s'inclina devant l'usurier, s'assit, et prit pour l'écouter une de ces attitudes courtisanesques dont la gracieuse bassesse vous eût séduit ; mais mon Gobseck resta sur sa chaise, au coin de son feu, immobile, impassible. Gobseck ressemblait à la statue de Voltaire vue le soir sous le péristyle[2] du Théâtre-Français, il souleva légèrement, comme pour saluer, la casquette usée avec laquelle il se couvrait le chef, et le peu de crâne jaune qu'il montra achevait sa ressemblance avec le marbre. "Je n'ai d'argent que pour mes pratiques, dit-il. – Vous êtes donc

2. Façade à colonnes.

bien fâché que je sois allé me ruiner ailleurs que chez vous ? répondit le comte en riant. – Ruiner ! reprit Gobseck d'un ton d'ironie. – Allez-vous dire que l'on ne peut pas ruiner un homme qui ne possède rien ? Mais je vous défie de trouver à Paris un plus beau *capital* que celui-ci", s'écria le fashionable[1] en se levant et tournant sur ses talons. Cette bouffonnerie presque sérieuse n'eut pas le don d'émouvoir Gobseck. "Ne suis-je pas l'ami intime des Ronquerolles, des de Marsay, des Franchessini, des deux Vandenesse, des Ajuda-Pinto[2], enfin, de tous les jeunes gens les plus à la mode dans Paris ? Je suis au jeu l'allié d'un prince et d'un ambassadeur que vous connaissez. J'ai mes revenus à Londres, à Carlsbad, à Baden, à Bath. N'est-ce pas la plus brillante des industries[3] ? – Vrai. – Vous faites une éponge de moi, mordieu ! et vous m'encouragez à me gonfler au milieu du monde, pour me presser dans les moments de crise ; mais vous êtes aussi des éponges, et la mort vous pressera. – Possible. – Sans les dissipateurs, que deviendriez-vous ? nous sommes à nous deux l'âme et le corps. – Juste. – Allons, une poignée de main, mon vieux papa Gobseck, et de la magnanimité, si cela est vrai, juste et possible. – Vous venez à moi, répondit froidement l'usurier, parce que Girard, Palma, Werbrust et Gigonnet ont le ventre plein de vos lettres de change, qu'ils offrent partout à cinquante pour cent de perte ; or, comme ils n'ont probablement fourni que moitié de la valeur, elles ne valent pas vingt-cinq. Serviteur ! Puis-je décemment, dit Gobseck en continuant, prêter une seule obole à un homme qui doit trente mille francs et ne possède pas un denier ? Vous avez perdu dix mille francs avant-hier au bal chez le baron de Nucingen[4].

– Monsieur, répondit le comte avec une rare impudence en toisant le vieillard, mes affaires ne vous regardent pas. Qui a terme[5], ne doit rien. – Vrai ! – Mes lettres de change seront acquittées. – Possible ! – Et dans ce moment, la question entre nous se réduit à savoir si je vous présente des garanties suffisantes pour la somme que je viens vous emprunter. – Juste." Le bruit que faisait le fiacre en s'arrêtant à la porte retentit dans la chambre. "Je vais aller chercher quelque chose qui vous satisfera peut-être, s'écria le jeune homme. – Ô mon fils ! s'écria Gobseck en se levant et me tendant les bras, quand l'emprunteur eut disparu, s'il a de bon gages, tu me sauves la vie ! J'en serais mort. Werbrust et Gigonnet ont cru me faire une farce. Grâce à toi, je vais bien rire ce soir à leurs dépens." La joie du vieillard avait quelque chose d'effrayant. Ce fut le seul moment d'expansion qu'il eut avec moi. Malgré la rapidité de cette joie, elle ne sortira jamais de mon souvenir. "Faites-moi le plaisir de rester ici, ajouta-t-il. Quoique je sois armé, sûr de mon coup, comme un homme qui jadis a chassé le tigre, et fait sa partie sur un tillac[6] quand il fallait vaincre ou mourir, je me défie de cet élégant coquin." Il alla se rasseoir sur un fauteuil, devant son bureau. Sa figure redevint blême et calme. "Oh, oh ! reprit-il en se tournant vers moi, vous allez sans doute voir la belle créature de qui je vous ai parlé jadis, j'entends dans le corridor un pas aristocratique." En effet le jeune homme revint en donnant la main à une femme en qui je reconnus cette comtesse dont le lever m'avait autrefois été dépeint par Gobseck, l'une des deux filles du bonhomme Goriot. La comtesse ne me vit pas d'abord, je me tenais dans l'embrasure de la fenêtre, le visage à la vitre. En entrant

5. Celui qui a un délai (terme) fixé pour payer sa dette ne doit rien sur le moment présent.
6. Pont supérieur d'un navire.

dans la chambre humide et sombre de l'usurier, elle jeta un regard de défiance sur Maxime. Elle était si belle que, malgré ses fautes, je la plaignis. Quelque terrible angoisse agitait son cœur, ses traits nobles et fiers avaient une expression convulsive, mal déguisée. Ce jeune homme était devenu pour elle un mauvais génie. J'admirai Gobseck, qui, quatre ans plus tôt, avait compris la destinée de ces deux êtres sur une première lettre de change. "Probablement, me dis-je, ce monstre à visage d'ange la gouverne par tous les ressorts possibles : la vanité, la jalousie, le plaisir, l'entraînement du monde."

– Mais, s'écria la vicomtesse, les vertus mêmes de cette femme ont été pour lui des armes, il lui a fait verser des larmes de dévouement, il a su exalter en elle la générosité naturelle à notre sexe, et il a abusé de sa tendresse pour lui vendre bien cher de criminels plaisirs.

– Je vous l'avoue, dit Derville qui ne comprit pas les signes que lui fit Mme de Grandlieu, je ne pleurai pas sur le sort de cette malheureuse créature, si brillante aux yeux du monde et si épouvantable pour qui lisait dans son cœur ; non, je frémissais d'horreur en contemplant son assassin, ce jeune homme dont le front était si pur, la bouche si fraîche, le sourire si gracieux, les dents si blanches, et qui ressemblait à un ange. Ils étaient en ce moment tous deux devant leur juge, qui les examinait comme un vieux dominicain[1] du seizième siècle devait épier les tortures de deux Maures[2], au fond des souterrains du Saint-Office[3]. "Monsieur, existe-t-il un moyen d'obtenir le prix des diamants que voici, mais en me réservant le droit de les racheter, dit-elle d'une voix tremblante en lui tendant un écrin. – Oui, madame", répondis-je en intervenant et me

1. Religieux, membre de l'Inquisition.
2. Sarrasins, habitants de l'Afrique du Nord au XVIe siècle.
3. Allusion aux tortures infligées par le tribunal de l'Inquisition dans ses interrogatoires.

montrant. Elle me regarda, me reconnut[4], laissa échapper un frisson, et me lança ce coup d'œil qui signifie en tout pays : *Taisez-vous !* "Ceci, dis-je en continuant, constitue un acte que nous appelons vente à réméré, convention qui consiste à céder et transporter une propriété mobilière ou immobilière pour un temps déterminé, à l'expiration duquel on peut rentrer dans l'objet en litige, moyennant une somme fixée." Elle respira plus facilement. Le comte Maxime fronça le sourcil, il se doutait bien que l'usurier donnerait alors une plus faible somme des diamants, valeur sujette à des baisses. Gobseck, immobile, avait saisi sa loupe et contemplait silencieusement l'écrin. Vivrais-je cent ans, je n'oublierais pas le tableau que nous offrit sa figure. Ses joues pâles s'étaient colorées, ses yeux, où les scintillements des pierres semblaient se répéter, brillaient d'un feu surnaturel. Il se leva, alla au jour, tint les diamants près de sa bouche démeublée, comme s'il eût voulu les dévorer. Il marmottait de vagues paroles, en soulevant tour à tour les bracelets, les girandoles[5], les colliers, les diadèmes, qu'il présentait à la lumière pour en juger l'eau[6], la blancheur, la taille ; il les sortait de l'écrin, les y remettait, les y reprenait encore, les faisait jouer en leur demandant tous leurs feux, plus enfant que vieillard, ou plutôt enfant et vieillard tout ensemble. "Beaux diamants ! Cela aurait valu trois cent mille francs avant la révolution. Quelle eau ! Voilà de vrais diamants d'Asie venus de Golconde ou de Visapour[7] ! En connaissez-vous le prix ? Non, non, Gobseck est le seul à Paris qui sache les apprécier. Sous l'Empire il aurait encore fallu plus de deux cent mille francs pour faire une parure semblable" Il fit un geste de dégoût et ajouta : "Maintenant le diamant perd tous les

4. Il est possible que Mme de Restaud ait déjà rencontré Derville chez son père ou chez sa sœur car celui-ci est leur conseiller dans *Le Père Goriot* (voir texte écho, p. 97).
5. Boucles d'oreilles en diamants.
6. Transparence des diamants.
7. Villes de l'Inde connues pour les trésors de leurs sultans.

jours, le Brésil nous en accable depuis la paix, et jette sur les places des diamants moins blancs que ceux de l'Inde. Les femmes n'en portent plus qu'à la cour. Madame y va ?" Tout en lançant ces terribles paroles, il examinait avec une joie indicible les pierres l'une après l'autre : "Sans tache, disait-il. Voici une tache. Voici une paille[1]. Beau diamant." Son visage blême était si bien illuminé par les feux de ces pierreries, que je le comparais à ces vieux miroirs verdâtres qu'on trouve dans les auberges de province, qui acceptent les reflets lumineux sans les répéter et donnent la figure d'un homme tombant en apoplexie au voyageur assez hardi pour s'y regarder. "Eh bien ?" dit le comte en frappant sur l'épaule de Gobseck. Le vieil enfant tressaillit. Il laissa ses hochets, les mit sur son bureau, s'assit et redevint usurier, dur, froid et poli comme une colonne de marbre : "Combien vous faut-il ? – Cent mille francs, pour trois ans, dit le comte. – Possible !" dit Gobseck en tirant d'une boîte d'acajou des balances inestimables pour leur justesse, son écrin à lui ! Il pesa les pierres en évaluant à vue de pays (et Dieu sait comme !) le poids des montures. Pendant cette opération, la figure de l'escompteur[2] luttait entre la joie et la sévérité. La comtesse était plongée dans une stupeur dont je lui tenais compte, il me sembla qu'elle mesurait la profondeur du précipice où elle tombait. Il y avait encore des remords dans cette âme de femme ; il ne fallait peut-être qu'un effort, une main charitablement tendue pour la sauver, je l'essayai. "Ces diamants sont à vous, madame ? lui demandai-je d'une voix claire. – Oui, monsieur, répondit-elle en me lançant un regard d'orgueil. – Faites le réméré, bavard ! me dit Gobseck en se levant et me montrant sa

1. Imperfection.
2. Voir lexique de l'usurier, p. 12.

place au bureau. – Madame est sans doute mariée ?" demandai-je encore. Elle inclina vivement la tête. "Je ne ferai pas l'acte, m'écriai-je. – Et pourquoi ? dit Gobseck. – Pourquoi ? repris-je en entraînant le vieillard dans l'embrasure de la fenêtre pour lui parler à voix basse. Cette femme étant en puissance de[3] mari, le réméré sera nul, vous ne pourriez opposer votre ignorance d'un fait constaté par l'acte même. Vous seriez donc tenu de représenter les diamants qui vont vous être déposés, et dont le poids, les valeurs ou la taille seront décrits." Gobseck m'interrompit par un signe de tête, et se tourna vers les deux coupables : "Il a raison, dit-il. Tout est changé. Quatre-vingt mille francs comptant, et vous me laisserez les diamants, ajouta-t-il d'une voix sourde et flûtée. En fait de meubles, la possession vaut titre[4]. – Mais, répliqua le jeune homme. – À prendre ou à laisser, reprit Gobseck en remettant l'écrin à la comtesse, j'ai trop de risques à courir." "Vous feriez mieux de vous jeter aux pieds de votre mari", lui dis-je à l'oreille en me penchant vers elle. L'usurier comprit sans doute mes paroles au mouvement de mes lèvres, et me jeta un regard froid. La figure du jeune homme devint livide. L'hésitation de la comtesse était palpable. Le comte s'approcha d'elle, et quoiqu'il parlât très bas, j'entendis : "Adieu, chère Anastasie, sois heureuse ! Quant à moi, demain je n'aurai plus de soucis." "Monsieur, s'écria la jeune femme en s'adressant à Gobseck, j'accepte vos offres. – Allons donc ! répondit le vieillard, vous êtes bien difficile à confesser, ma belle dame." Il signa un bon de cinquante mille francs sur la Banque, et le remit à la comtesse. "Maintenant, dit-il avec un sourire qui ressemblait assez à celui de Voltaire, je vais

3. Sous l'autorité de. Au XIXe siècle, une femme est sous l'autorité juridique de son mari. Certains actes lui sont interdits sans son autorisation.
4. Posséder des meubles signifie que l'on en est le propriétaire légal : aucun titre de propriété n'est requis.

Gobseck a racheté à bas prix à ses confrères des lettres de change de Maxime de Trailles. Ceux-ci ont pensé le duper car ils supposent que M. de Trailles est insolvable (qu'il ne peut payer ses dettes). Mais Derville, en amenant celui-ci chez Gobseck, va inverser la situation : l'usurier prête à Trailles l'argent dont il a besoin en prenant les diamants de Mme de Restaud comme caution. Il signe à la comtesse un bon de cinquante mille francs (très en dessous de la valeur des diamants) et lui donne en complément les lettres de change (sans valeur réelle) de son amant, dont il se débarrasse ainsi en les restituant indirectement à leur signataire, qu'il humilie devant sa maîtresse... Gobseck réalise un énorme bénéfice et, en outre, va pouvoir s'en vanter auprès de ses collègues. ∎

vous compléter votre somme par trente mille francs de lettres de change dont la bonté ne me sera pas contestée. C'est de l'or en barres. Monsieur vient de me dire : *Mes lettres de change seront acquittées*", ajouta-t-il en présentant des traites souscrites par le comte, toutes protestées la veille à la requête de celui de ses confrères qui probablement les lui avait vendues à bas prix. Le jeune homme poussa un rugissement au milieu duquel domina le mot : "Vieux coquin !" Le papa Gobseck ne sourcilla pas, il tira d'un carton sa paire de pistolets, et dit froidement : "En ma qualité d'insulté, je tirerai le premier. – Maxime, vous devez des excuses à monsieur, s'écria doucement la tremblante comtesse. – Je n'ai pas eu l'intention de vous offenser, dit le jeune homme en balbutiant. – Je le sais bien, répondit tranquillement Gobseck, votre intention était seulement de ne pas payer vos lettres de change[1]." La comtesse se leva, salua, et disparut en proie sans doute à une profonde horreur. M. de Trailles fut forcé de la suivre ; mais avant de sortir : "S'il vous échappe une indiscrétion, messieurs, dit-il, j'aurai votre sang ou vous aurez le mien. – *Amen*, lui répondit Gobseck en serrant ses pistolets. Pour jouer son sang, faut en avoir, mon petit, et tu n'as que de la boue dans les veines." Quand la porte fut fermée et que les deux voitures partirent, Gobseck se leva, se mit à danser en répétant : "J'ai les diamants ! j'ai les diamants ! Les beaux diamants, quels diamants ! et pas cher. Ah ! ah ! Werbrust et Gigonnet, vous avez cru attraper le vieux papa Gobseck ! *Ego sum papa !* je suis votre maître à tous ! Intégralement payé ! Comme ils seront sots, ce soir quand je leur conterai l'affaire, entre deux parties de domino !" Cette joie sombre, cette férocité

1. Voir lexique de l'usurier, p. 12.

de sauvage, excitées par la possession de quelques cailloux blancs, me firent tressaillir. J'étais muet et stupéfait. "Ah, ah ! te voilà, mon garçon, dit-il. Nous dînerons ensemble. Nous nous amuserons chez toi, je n'ai pas de ménage[2]. Tous ces restaurateurs, avec leurs coulis, leurs sauces, leurs vins, empoisonneraient le diable." L'expression de mon visage lui rendit subitement sa froide impassibilité. "Vous ne concevez pas cela, me dit-il en s'asseyant au coin de son foyer où il mit son poêlon de fer-blanc plein de lait sur le réchaud. Voulez-vous déjeuner avec moi ? reprit-il, il y en aura peut-être assez pour deux. – Merci, répondis-je, je ne déjeune qu'à midi." En ce moment des pas précipités retentirent dans le corridor. L'inconnu qui survenait s'arrêta sur le palier de Gobseck, et frappa plusieurs coups qui eurent un caractère de fureur. L'usurier alla reconnaître par la chatière, et ouvrit à un homme de trente-cinq ans environ, qui sans doute lui parut inoffensif, malgré cette colère. Le survenant, simplement vêtu, ressemblait au feu duc de Richelieu, c'était le comte que vous avez dû rencontrer et qui avait, passez-moi cette expression, la tournure aristocratique des hommes d'État de votre faubourg. "Monsieur, dit-il, en s'adressant à Gobseck redevenu calme, ma femme sort d'ici ? – Possible. – Eh bien, monsieur, ne me comprenez-vous pas ? – Je n'ai pas l'honneur de connaître madame votre épouse, répondit l'usurier. J'ai reçu beaucoup de monde ce matin : des femmes, des hommes, des demoiselles qui ressemblaient à des jeunes gens, et des jeunes gens qui ressemblaient à des demoiselles. Il me serait bien difficile de… – Trêve de plaisanterie, monsieur, je parle de la femme qui sort à l'instant de chez vous. – Comment puis-je savoir si elle est

Papa Gobseck

Papa est le surnom de Gobseck, mais signifie aussi « pape » en latin. *Ego sum papa* (l. 1218), que l'on peut traduire « Je suis pape » ou, avec l'insistance du pronom, « C'est moi le pape », aurait été lâché par un cardinal élu pape (le futur Sixte-Quint) ne pouvant contenir sa joie avant même la proclamation officielle de son élection. ■

2. Gobseck n'a aucun domestique pour s'occuper de ses repas et de son intérieur.

votre femme, demanda l'usurier, je n'ai jamais eu l'avantage de vous voir. – Vous vous trompez, monsieur Gobseck, dit le comte avec un profond accent d'ironie. Nous nous sommes rencontrés dans la chambre de ma femme, un matin. Vous veniez toucher un billet souscrit par elle, un billet qu'elle ne devait pas. – Ce n'était pas mon affaire de rechercher de quelle manière elle en avait reçu la valeur, répliqua Gobseck en lançant un regard malicieux au comte. J'avais escompté[1] l'effet à l'un de mes confrères. D'ailleurs, monsieur, dit le capitaliste sans s'émouvoir ni presser son débit et en versant du café dans sa jatte de lait, vous me permettrez de vous faire observer qu'il ne m'est pas prouvé que vous ayez le droit de me faire des remontrances chez moi : je suis majeur depuis l'an soixante et un du siècle dernier. – Monsieur, vous venez d'acheter à vil prix des diamants de famille qui n'appartenaient pas à ma femme. – Sans me croire obligé de vous mettre dans le secret de mes affaires, je vous dirai, monsieur le comte, que si vos diamants vous ont été pris par Mme la comtesse, vous auriez dû prévenir, par une circulaire[2], les joailliers de ne pas les acheter, elle a pu les vendre en détail. – Monsieur ! s'écria le comte, vous connaissiez ma femme. – Vrai. – Elle est en puissance de mari. – Possible. – Elle n'avait pas le droit de disposer de ces diamants… – Juste. – Eh bien, monsieur ? – Eh bien, monsieur, je connais votre femme, elle est en puissance de mari, je le veux bien, elle est sous bien des puissances ; mais – je – ne – connais pas – vos diamants. Si Mme la comtesse signe des lettres de change, elle peut sans doute faire le commerce, acheter des diamants, en recevoir pour les vendre, ça s'est vu ! – Adieu, monsieur, s'écria le comte pâle

1. Voir lexique de l'usurier, p. 12.
2. Lettre officielle.

de colère, il y a des tribunaux. – Juste. – Monsieur que voici, ajouta-t-il en me montrant, a été témoin de la vente. – Possible." Le comte allait sortir. Tout à coup, sentant l'importance de cette affaire, je m'interposai entre les parties belligérantes. "Monsieur le comte, dis-je, vous avez raison, et M. Gobseck est sans aucun tort. Vous ne sauriez poursuivre l'acquéreur sans faire mettre en cause votre femme, et l'odieux de cette affaire ne retomberait pas sur elle seulement. Je suis avoué, je me dois à moi-même encore plus qu'à mon caractère officiel, de vous déclarer que les diamants dont vous parlez ont été achetés par M. Gobseck en ma présence ; mais je crois que vous auriez tort de contester la légalité de cette vente dont les objets sont d'ailleurs peu reconnaissables. En équité, vous auriez raison ; en justice, vous succomberiez. M. Gobseck est trop honnête homme pour nier que cette vente ait été effectuée à son profit, surtout quand ma conscience et mon devoir me forcent à l'avouer. Mais intentassiez-vous un procès, monsieur le comte, l'issue en serait douteuse. Je vous conseille donc de transiger avec M. Gobseck, qui peut exciper[3] de sa bonne foi, mais auquel vous devrez toujours rendre le prix de la vente. Consentez à un réméré de sept à huit mois, d'un an même, laps de temps qui vous permettra de rendre la somme empruntée par Mme la comtesse, à moins que vous ne préfériez les racheter dès aujourd'hui en donnant des garanties pour le paiement." L'usurier trempait son pain dans la tasse et mangeait avec une parfaite indifférence ; mais au mot de transaction, il me regarda comme s'il disait : "Le gaillard ! comme il profite de mes leçons." De mon côté, je lui ripostai par une œillade qu'il comprit à merveille. L'affaire était fort dou-

1290

1300

1310

« *Gobseck est la cristallisation, l'aboutissement des drames périphériques, sans intervenir dans ceux-ci. Il apparaît plus comme un juge ironique des passions que comme un "héros".* »

Jean-Daniel Verhaeghe, *réalisateur*

3. Invoquer une exception pour se défendre.

teuse, ignoble ; il devenait urgent de transiger. Gobseck n'aurait pas eu la ressource de la dénégation[1], j'aurais dit la vérité. Le comte me remercia par un bienveillant sourire. Après un débat dans lequel l'adresse et l'avidité de Gobseck auraient mis en défaut toute la diplomatie d'un congrès, je préparai un acte par lequel le comte reconnut avoir reçu de l'usurier une somme de quatre-vingt-cinq mille francs, intérêts compris, et moyennant la reddition[2] de laquelle Gobseck s'engageait à remettre les diamants au comte. "Quelle dilapidation ! s'écria le mari en signant. Comment jeter un pont sur cet abîme ? – Monsieur, dit gravement Gobseck, avez-vous beaucoup d'enfants ?" Cette demande fit tressaillir le comte comme si, semblable à un savant médecin, l'usurier eût mis tout à coup le doigt sur le siège du mal. Le mari ne répondit pas. "Eh bien, reprit Gobseck en comprenant le douloureux silence du comte, je sais votre histoire par cœur. Cette femme est un démon que vous aimez peut-être encore ; je le crois bien, elle m'a ému. Peut-être voudriez-vous sauver votre fortune, la réserver à un ou deux de vos enfants. Eh bien, jetez-vous dans le tourbillon du monde, jouez, perdez cette fortune, venez trouver souvent Gobseck. Le monde dira que je suis un juif, un arabe, un usurier, un corsaire, que je vous aurai ruiné ! Je m'en moque ! Si l'on m'insulte, je mets mon homme à bas, personne ne tire aussi bien le pistolet et l'épée que votre serviteur. On le sait ! Puis, ayez un ami, si vous pouvez en rencontrer un, auquel vous ferez une vente simulée de vos biens. – N'appelez-vous pas cela un fidéicommis[3] ?" me demanda-t-il en se tournant vers moi. Le comte parut entièrement absorbé dans ses pensées et nous quitta en nous disant :

1. Gobseck n'aurait pas pu nier.
2. Contre la remise de la somme citée, Gobseck rendra les diamants.
3. Voir lexique de l'usurier, p. 12.

"Vous aurez votre argent demain, monsieur, tenez les diamants prêts." "Ça m'a l'air d'être bête comme un honnête homme, me dit froidement Gobseck quand le comte fut parti. – Dites plutôt bête comme un homme passionné. – Le comte vous doit les frais de l'acte", s'écria-t-il en me voyant prendre congé de lui. Quelques jours après cette scène qui m'avait initié aux terribles mystères de la vie d'une femme à la mode, je vis entrer le comte un matin, dans mon cabinet. "Monsieur, dit-il, je viens vous consulter sur des intérêts graves, en vous déclarant que j'ai en vous la confiance la plus entière, et j'espère vous en donner des preuves. Votre conduite envers Mme de Grandlieu, dit le comte, est au-dessus de tout éloge."

« Vous voyez, madame, dit l'avoué à la vicomtesse, que j'ai mille fois reçu de vous le prix d'une action bien simple. Je m'inclinai respectueusement, et répondis que je n'avais fait que remplir un devoir d'honnête homme. "Eh bien, monsieur, j'ai pris beaucoup d'informations sur le singulier personnage auquel vous devez votre état, me dit le comte. D'après tout ce que j'en sais, je reconnais en Gobseck un philosophe de l'école cynique. Que pensez-vous de sa probité ? – Monsieur le comte, répondis-je, Gobseck est mon bienfaiteur… à quinze pour cent, ajoutai-je en riant. Mais son avarice ne m'autorise pas à le peindre ressemblant au profit d'un inconnu. – Parlez, monsieur ! Votre franchise ne peut nuire ni à Gobseck ni à vous. Je ne m'attends pas à trouver un ange dans un prêteur sur gages. – Le papa Gobseck, repris-je, est intimement convaincu d'un principe qui domine sa conduite. Selon lui, l'argent est une marchandise que l'on peut, en toute sûreté de conscience, vendre cher ou bon marché, suivant

Un étrange testament

Gobseck propose à M. de Restaud une étrange transaction : qu'il lui transfère tous ses biens de manière officielle, tout en prenant des dispositions secrètes pour que, à sa mort, ceux-ci soient restitués à celui ou ceux de ses héritiers qu'il a choisis (c'est le sens du terme *fidéicommis*).

Cette opération permet à M. de Restaud de déshériter sa femme et de favoriser son seul fils légitime. Pour que cette opération soit valide, il faut que M. de Restaud indique dans un document, « la contre-lettre », la nature de ses intentions réelles. ∎

1350
1360
1370

les cas. Un capitaliste est à ses yeux un homme qui entre, par le fort denier[1] qu'il réclame de son argent, comme associé par anticipation dans les entreprises et les spéculations lucratives. À part ses principes financiers et ses observations philosophiques sur la nature humaine qui lui permettent de se conduire en apparence comme un usurier, je suis intimement persuadé que, sorti de ses affaires, il est l'homme le plus délicat et le plus probe[2] qu'il y ait à Paris. Il existe deux hommes en lui : il est avare et philosophe, petit et grand. Si je mourais en laissant des enfants il serait leur tuteur. Voilà, monsieur, sous quel aspect l'expérience m'a montré Gobseck. Je ne connais rien de sa vie passée. Il peut avoir été corsaire, il a peut-être traversé le monde entier en trafiquant des diamants ou des hommes, des femmes ou des secrets d'État, mais je jure qu'aucune âme humaine n'a été ni plus fortement trempée ni mieux éprouvée[3]. Le jour où je lui ai porté la somme qui m'acquittait envers lui, je lui demandai, non sans quelques précautions oratoires, quel sentiment l'avait poussé à me faire payer de si énormes intérêts, et par quelle raison, voulant m'obliger[4], moi son ami, il ne s'était pas permis un bienfait complet. "Mon fils, je t'ai dispensé de la reconnaissance en te donnant le droit de croire que tu ne me devais rien, aussi sommes-nous les meilleurs amis du monde." Cette réponse, monsieur, vous expliquera l'homme mieux que toutes les paroles possibles. "Mon parti est irrévocablement pris, me dit le comte. Préparez les actes nécessaires pour transporter à Gobseck la propriété de mes biens. Je ne me fie qu'à vous, monsieur, pour la rédaction de la contre-lettre par laquelle il déclarera que cette vente est simulée, et prendra l'engagement de remettre ma fortune

1. Intérêt.
2. Honnête.
3. Endurcie et mise à l'épreuve.
4. Me rendre service.

administrée par lui comme il sait administrer, entre les mains de mon fils aîné, à l'époque de sa majorité. Maintenant, monsieur, il faut vous le dire : je craindrais de garder cet acte précieux chez moi. L'attachement de mon fils pour sa mère me fait redouter de lui confier cette contre-lettre. Oserais-je vous prier d'en être le dépositaire ? En cas de mort, Gobseck vous instituerait légataire[5] de mes propriétés. Ainsi, tout est prévu." Le comte garda le silence pendant un moment et parut très agité. "Mille pardons, monsieur, me dit-il après une pause, je souffre beaucoup, et ma santé me donne les plus vives craintes. Des chagrins récents ont troublé ma vie d'une manière cruelle, et nécessitent la grande mesure que je prends. – Monsieur, lui dis-je, permettez-moi de vous remercier d'abord de la confiance que vous avez en moi. Mais je dois la justifier en vous faisant observer que par ces mesures vous exhérédez[6] complètement vos… autres enfants[7]. Ils portent votre nom. Ne fussent-ils que les enfants d'une femme autrefois aimée, maintenant déchue, ils ont droit à une certaine existence. Je vous déclare que je n'accepte point la charge dont vous voulez bien m'honorer, si leur sort n'est pas fixé." Ces paroles firent tressaillir violemment le comte. Quelques larmes lui vinrent aux yeux, il me serra la main en me disant : "Je ne vous connaissais pas encore tout entier. Vous venez de me causer à la fois de la joie et de la peine. Nous fixerons la part de ces enfants par les dispositions de la contre-lettre." Je le reconduisis jusqu'à la porte de mon étude, et il me sembla voir ses traits épanouis par le sentiment de satisfaction que lui causait cet acte de justice.

« Voilà, Camille, comment de jeunes femmes s'embarquent sur des abîmes. Il suffit quelquefois d'une

5. Héritier ou personne chargée de faire exécuter un héritage.
6. Déshériterez.
7. Mme de Restaud a avoué à son mari dans Le Père Goriot que seul son fils aîné était de lui. C'est pourquoi le comte souhaite tout lui léguer.

contredanse[1], d'un air chanté au piano, d'une partie de campagne pour décider d'effroyables malheurs. On y court à la voix présomptueuse de la vanité, de l'orgueil, sur la foi d'un sourire, ou par folie, par étourderie ? La Honte, le Remords et la Misère sont trois Furies[2] entre les mains desquelles doivent infailliblement tomber les femmes aussitôt qu'elles franchissent les bornes…

– Ma pauvre Camille se meurt de sommeil, dit la vicomtesse en interrompant l'avoué. Va, ma fille, va dormir, ton cœur n'a pas besoin de tableaux effrayants pour rester pur et vertueux. »

Camille de Grandlieu comprit sa mère, et sortit.

« Vous êtes allé un peu trop loin, cher monsieur Derville, dit la vicomtesse, les avoués ne sont ni mères de famille, ni prédicateurs.

– Mais les gazettes sont mille fois plus…

– Pauvre Derville ! dit la vicomtesse en interrompant l'avoué, je ne vous reconnais pas. Croyez-vous donc que ma fille lise les journaux ? Continuez, ajouta-t-elle après une pause.

– Trois mois après la ratification des ventes consenties par le comte au profit de Gobseck…

– Vous pouvez nommer le comte de Restaud, puisque ma fille n'est plus là, dit la vicomtesse.

– Soit ! reprit l'avoué. Longtemps après cette scène, je n'avais pas encore reçu la contre-lettre qui devait me rester entre les mains. À Paris, les avoués sont emportés par un courant qui ne leur permet de porter aux affaires de leurs clients que le degré d'intérêt qu'ils y portent eux-mêmes, sauf les exceptions que nous savons faire. Cependant, un jour que l'usurier dînait chez moi, je lui demandai, en sortant de table, s'il savait pourquoi je n'avais plus entendu parler de M. de Restaud. "Il y a d'excellentes raisons pour cela, me répondit-il. Le gentilhomme est à la mort. C'est une de ces âmes tendres qui, ne connaissant pas la manière de tuer le chagrin, se laissent toujours tuer par lui. La vie est un travail, un métier, qu'il faut se donner la peine d'apprendre. Quand un homme a su la vie, à force d'en avoir éprouvé les douleurs, sa fibre se corrobore[3] et acquiert une certaine souplesse qui lui permet de gouverner sa sensibilité ; il fait de ses nerfs des espèces de ressorts d'acier qui plient sans casser ; si l'estomac est bon, un homme ainsi préparé doit vivre aussi longtemps que vivent les cèdres du Liban qui sont de fameux arbres. – Le comte serait mourant ? dis-je. – Possible, dit Gobseck. Vous aurez dans sa succession une affaire juteuse." Je regardai mon homme, et lui dis pour le sonder : "Expliquez-moi donc pourquoi nous sommes, le comte et moi, les seuls auxquels vous vous soyez intéressé ? – Parce que vous êtes les seuls qui vous soyez fiés à moi sans finasserie, me répondit-il. » Quoique cette réponse me permît de croire que Gobseck n'abuserait pas de sa position, si les contre-lettres se perdaient, je résolus d'aller voir le comte. Je prétextai des affaires, et nous sortîmes. J'arrivai promptement rue du Helder. Je fus introduit dans un salon où la comtesse jouait avec ses enfants. En m'entendant annoncer, elle se leva par un mouvement brusque, vint à ma rencontre, et s'assit sans mot dire, en m'indiquant de la main un fauteuil vacant auprès du feu. Elle mit sur sa figure ce masque impénétrable sous lequel les femmes du monde savent si bien cacher leurs passions. Les chagrins avaient déjà fané ce visage ; les lignes merveilleuses qui en faisaient autrefois

3. Se renforce (sens disparu aujourd'hui).

le mérite restaient seules pour témoigner de sa beauté. "Il est très essentiel, madame, que je puisse parler à M. le comte... – Vous seriez donc plus favorisé que je ne le suis, répondit-elle en m'interrompant. M. de Restaud ne veut voir personne, il souffre à peine que son médecin vienne le voir, et repousse tous les soins, même les miens. Les malades ont des fantaisies si bizarres ! ils sont comme des enfants, ils ne savent ce qu'ils veulent. – Peut-être, comme les enfants, savent-ils très bien ce qu'ils veulent." La comtesse rougit. Je me repentis presque d'avoir fait cette réplique digne de Gobseck. "Mais, repris-je pour changer de conversation, il est impossible, madame, que M. de Restaud demeure perpétuellement seul. – Il a son fils aîné près de lui", dit-elle. J'eus beau regarder la comtesse, cette fois elle ne rougit plus, et il me parut qu'elle s'était affermie dans la résolution de ne pas me laisser pénétrer ses secrets. "Vous devez comprendre, madame, que ma démarche n'est point indiscrète, repris-je. Elle est fondée sur des intérêts puissants..." Je me mordis les lèvres, en sentant que je m'embarquais dans une fausse route. Aussi, la comtesse profita-t-elle sur-le-champ de mon étourderie. "Mes intérêts ne sont point séparés de ceux de mon mari, monsieur, dit-elle. Rien ne s'oppose à ce que vous vous adressiez à moi... – L'affaire qui m'amène ne concerne que M. le comte, répondis-je avec fermeté. – Je le ferai prévenir du désir que vous avez de le voir." Le ton poli, l'air qu'elle prit pour prononcer cette phrase ne me trompèrent pas, je devinai qu'elle ne me laisserait jamais parvenir jusqu'à son mari. Je causai pendant un moment de choses indifférentes afin de pouvoir observer la comtesse ; mais, comme toutes les femmes qui se sont fait un plan, elle savait dissimuler avec cette rare perfection qui, chez les personnes de votre sexe, est le dernier degré de la perfidie. Oserai-je le dire, j'appréhendais tout d'elle, même un crime. Ce sentiment provenait d'une vue de l'avenir qui se révélait dans ses gestes, dans ses regards, dans ses manières, et jusque dans les intonations de sa voix. Je la quittai. Maintenant je vais vous raconter les scènes qui terminent cette aventure, en y joignant les circonstances que le temps m'a révélées, et les détails que la perspicacité de Gobseck ou la mienne m'ont fait deviner. Du moment où le comte de Restaud parut se plonger dans un tourbillon de plaisirs, et vouloir dissiper sa fortune, il se passa entre les deux époux des scènes dont le secret a été impénétrable et qui permirent au comte de juger sa femme encore plus défavorablement qu'il ne l'avait fait jusqu'alors. Aussitôt qu'il tomba malade, et qu'il fut obligé de s'aliter, se manifesta son aversion pour la comtesse et pour ses deux derniers enfants ; il leur interdit l'entrée de sa chambre, et quand ils essayèrent d'éluder cette consigne, leur désobéissance amena des crises si dangereuses pour M. de Restaud, que le médecin conjura la comtesse de ne pas enfreindre les ordres de son mari. Mme de Restaud ayant vu successivement les terres, les propriétés de la famille, et même l'hôtel où elle demeurait, passer entre les mains de Gobseck qui semblait réaliser, quant à leur fortune, le personnage fantastique d'un ogre, comprit sans doute les desseins de son mari. M. de Trailles, un peu trop vivement poursuivi par ses créanciers, voyageait alors en Angleterre. Lui seul aurait pu apprendre à la comtesse les précautions secrètes que Gobseck avait suggérées à M. de Restaud contre elle.

On dit qu'elle résista longtemps à donner sa signature, indispensable aux termes de nos lois pour valider la vente des biens, et néanmoins le comte l'obtint. La comtesse croyait que son mari capitalisait sa fortune[1], et que le petit volume de billets qui la représentait serait dans une cachette, chez un notaire, ou peut-être à la Banque. Suivant ses calculs, M. de Restaud devait posséder nécessairement un acte quelconque pour donner à son fils aîné la facilité de recouvrer ceux de ses biens auxquels il tenait. Elle prit donc le parti d'établir autour de la chambre de son mari la plus exacte surveillance. Elle régna despotiquement dans sa maison, qui fut soumise à son espionnage de femme. Elle restait toute la journée assise dans le salon attenant à la chambre de son mari, et d'où elle pouvait entendre ses moindres paroles et ses plus légers mouvements. La nuit, elle faisait tendre un lit dans cette pièce, et la plupart du temps elle ne dormait pas. Le médecin fut entièrement dans ses intérêts. Ce dévouement parut admirable. Elle savait, avec cette finesse naturelle aux personnes perfides, déguiser la répugnance que M. de Restaud manifestait pour elle, et jouait si parfaitement la douleur, qu'elle obtint une sorte de célébrité. Quelques prudes trouvèrent même qu'elle rachetait ainsi ses fautes. Mais elle avait toujours devant les yeux la misère qui l'attendait à la mort du comte, si elle manquait de présence d'esprit. Ainsi cette femme, repoussée du lit de douleur où gémissait son mari, avait tracé un cercle magique à l'entour. Loin de lui et près de lui, disgraciée et toute-puissante, épouse dévouée en apparence, elle guettait la mort et la fortune, comme cet insecte des champs qui, au fond du précipice de sable qu'il a su arrondir en spirale, y attend son inévitable proie

1. Faisait fructifier sa fortune.

en écoutant chaque grain de poussière qui tombe. Le censeur le plus sévère ne pouvait s'empêcher de reconnaître que la comtesse portait loin le sentiment de la maternité. La mort de son père fut, dit-on, une leçon pour elle[2]. Idolâtre de ses enfants, elle leur avait dérobé le tableau de ses désordres, leur âge lui avait permis d'atteindre à son but et de s'en faire aimer, elle leur a donné la meilleure et la plus brillante éducation. J'avoue que je ne puis me défendre pour cette femme d'un sentiment admiratif et d'une compatissance sur laquelle Gobseck me plaisante encore[3]. À cette époque, la comtesse, qui reconnaissait la bassesse de Maxime, expiait par des larmes de sang les fautes de sa vie passée. Je le crois. Quelque odieuses que fussent les mesures qu'elle prenait pour reconquérir la fortune de son mari, ne lui étaient-elles pas dictées par son amour maternel et par le désir de réparer ses torts envers ses enfants ? Puis, comme plusieurs femmes qui ont subi les orages d'une passion, peut-être éprouvait-elle le besoin de redevenir vertueuse. Peut-être ne connut-elle le prix de la vertu qu'au moment où elle recueillit la triste moisson semée par ses erreurs. Chaque fois que le jeune Ernest sortait de chez son père, il subissait un interrogatoire inquisitorial sur tout ce que le comte avait fait et dit. L'enfant se prêtait complaisamment aux désirs de sa mère qu'il attribuait à un tendre sentiment, et il allait au-devant de toutes les questions. Ma visite fut un trait de lumière pour la comtesse, qui voulut voir en moi le ministre des vengeances du comte et résolut de ne pas me laisser approcher du moribond. Mû par un pressentiment sinistre, je désirais vivement me procurer un entretien avec M. de Restaud, car je n'étais pas sans inquiétude sur la

2. Référence à la mort du père Goriot (voir contextes, p. 5).
3. L'emploi du présent est un oubli : Gobseck est mort à cet instant dans la version définitive, alors qu'il était encore vivant dans les premières versions. La correction nécessaire n'a pas été faite.

destinée des contre-lettres ; si elles tombaient entre les mains de la comtesse, elle pouvait les faire valoir, et il se serait élevé des procès interminables entre elle et Gobseck. Je connaissais assez l'usurier pour savoir qu'il ne restituerait jamais les biens à la comtesse, et il y avait de nombreux éléments de chicane[1] dans la contexture[2] de ces titres dont l'action ne pouvait être exercée que par moi. Je voulus prévenir tant de malheurs, et j'allai chez la comtesse une seconde fois.

« J'ai remarqué, madame, dit Derville à la vicomtesse de Grandlieu en prenant le ton d'une confidence, qu'il existe certains phénomènes moraux auxquels nous ne faisons pas assez attention dans le monde. Naturellement observateur, j'ai porté dans les affaires d'intérêt que je traite et où les passions sont si vivement mises en jeu un esprit d'analyse involontaire. Or, j'ai toujours admiré avec une surprise nouvelle que les intentions secrètes et les idées que portent en eux deux adversaires sont presque toujours réciproquement devinées. Il se rencontre parfois entre deux ennemis la même lucidité de raison, la même puissance de vue intellectuelle qu'entre deux amants qui lisent dans l'âme l'un de l'autre. Ainsi, quand nous fûmes tous deux en présence, la comtesse et moi, je compris tout à coup la cause de l'antipathie qu'elle avait pour moi, quoiqu'elle déguisât ses sentiments sous les formes les plus gracieuses de la politesse et de l'aménité[3]. J'étais un confident imposé, et il est impossible qu'une femme ne haïsse pas un homme devant qui elle est obligée de rougir. Quant à elle, elle devina que si j'étais l'homme en qui son mari plaçait sa confiance, il ne m'avait pas encore remis sa fortune. Notre conversation, dont je vous fais grâce, est

1. Difficultés liées à un point mineur de droit qui embrouillent l'affaire lors d'un procès.
2. Rédaction.
3. Amabilité.

restée dans mon souvenir comme une des luttes les plus dangereuses que j'ai subies. La comtesse, douée par la nature des qualités nécessaires pour exercer d'irrésistibles séductions, se montra tour à tour souple, fière, caressante, confiante ; elle alla même jusqu'à tenter d'allumer ma curiosité, d'éveiller l'amour dans mon cœur afin de me dominer : elle échoua. Quand je pris congé d'elle, je surpris dans ses yeux une expression de haine et de fureur qui me fit trembler. Nous nous séparâmes ennemis. Elle aurait voulu pouvoir m'anéantir, et moi je me sentais de la pitié pour elle, sentiment qui, pour certains caractères, équivaut à la plus cruelle injure. Ce sentiment perça dans les dernières considérations que je lui présentai. Je lui laissai, je crois, une profonde terreur dans l'âme en lui déclarant que, de quelque manière qu'elle pût s'y prendre, elle serait nécessairement ruinée. "Si je voyais M. le comte, au moins le bien de vos enfants… – Je serais à votre merci", dit-elle en m'interrompant par un geste de dégoût. Une fois les questions posées entre nous d'une manière si franche, je résolus de sauver cette famille de la misère qui l'attendait. Déterminé à commettre des illégalités judiciaires, si elles étaient nécessaires pour parvenir à mon but, voici quels furent mes préparatifs. Je fis poursuivre M. le comte de Restaud pour une somme due fictivement à Gobseck, et j'obtins des condamnations. La comtesse cacha nécessairement cette procédure, mais j'acquérais ainsi le droit de faire apposer les scellés[4] à la mort du comte. Je corrompis alors un des gens de la maison, et j'obtins de lui la promesse qu'au moment même où son maître serait sur le point d'expirer, il viendrait me prévenir, fût-ce au milieu de la nuit, afin que je pusse intervenir

1660

1670

1680

4. Cachets de cire posés par l'autorité de justice sur les meubles ou portes afin qu'on ne puisse les ouvrir sans les briser.

tout à coup, effrayer la comtesse en la menaçant d'une subite apposition de scellés, et sauver ainsi les contre-lettres. J'appris plus tard que cette femme étudiait le code en entendant les plaintes de son mari mourant. Quels effroyables tableaux ne présenteraient pas les âmes de ceux qui environnent les lits funèbres, si l'on pouvait en peindre les idées ? Et toujours la fortune est le mobile des intrigues qui s'élaborent, des plans qui se forment, des trames qui s'ourdissent ! Laissons maintenant de côté ces détails assez fastidieux de leur nature, mais qui ont pu vous permettre de deviner les douleurs de cette femme, celles de son mari, et qui vous dévoilent les secrets de quelques intérieurs semblables à celui-ci. Depuis deux mois le comte de Restaud, résigné à son sort, demeurait couché, seul, dans sa chambre. Une maladie mortelle avait lentement affaibli son corps et son esprit. En proie à ces fantaisies de malade dont la bizarrerie semble inexplicable, il s'opposait à ce qu'on appropriât son appartement, il se refusait à toute espèce de soin, et même à ce qu'on fît son lit. Cette extrême apathie[1] s'était empreinte autour de lui : les meubles de sa chambre restaient en désordre. La poussière, les toiles d'araignées couvraient les objets les plus délicats. Jadis riche et recherché dans ses goûts, il se complaisait alors dans le triste spectacle que lui offrait cette pièce où la cheminée, le secrétaire et les chaises étaient encombrés des objets que nécessite une maladie : des fioles vides ou pleines, presque toutes sales ; du linge épars, des assiettes brisées, une bassinoire ouverte devant le feu, une baignoire encore pleine d'eau minérale. Le sentiment de la destruction était exprimé dans chaque détail de ce chaos disgracieux. La mort apparaissait dans

1. Manque d'énergie.

les choses avant d'envahir la personne. Le comte avait horreur du jour, les persiennes des fenêtres étaient fermées, et l'obscurité ajoutait encore à la sombre physionomie de ce triste lieu. Le malade avait considérablement maigri. Ses yeux, où la vie semblait s'être réfugiée, étaient restés brillants. La blancheur livide de son visage avait quelque chose d'horrible, que rehaussait encore la longueur extraordinaire de ses cheveux qu'il n'avait jamais voulu laisser couper, et qui descendaient en longues mèches plates le long de ses joues. Il ressemblait aux fanatiques habitants du désert. Le chagrin éteignait tous les sentiments humains en cet homme à peine âgé de cinquante ans, que tout Paris avait connu si brillant et si heureux. Au commencement du mois de décembre de l'année 1824, un matin, il regarda son fils Ernest qui était assis au pied de son lit, et qui le contemplait douloureusement. "Souffrez-vous ? lui avait demandé le jeune vicomte. – Non ! dit-il avec un effrayant sourire, tout est *ici et autour du cœur* !" Et après avoir montré sa tête, il pressa ses doigts décharnés sur sa poitrine creuse, par un geste qui fit pleurer Ernest. "Pourquoi donc ne vois-je pas venir M. Derville ?", demanda-t-il à son valet de chambre qu'il croyait lui être très attaché, mais qui était tout à fait dans les intérêts de la comtesse. "Comment, Maurice, s'écria le moribond qui se mit sur son séant et parut avoir recouvré toute sa présence d'esprit, voici sept ou huit fois que je vous envoie chez mon avoué, depuis quinze jours, et il n'est pas venu ? Croyez-vous que l'on puisse se jouer de moi ? Allez le chercher sur-le-champ, à l'instant, et ramenez-le. Si vous n'exécutez pas mes ordres, je me lèverai moi-même et j'irai…" "Madame, dit le valet de chambre en sortant, vous

avez entendu M. le comte, que dois-je faire ? – Vous fein-
drez d'aller chez l'avoué, et vous reviendrez dire à monsieur que son homme d'affaires est allé à quarante lieues
d'ici pour un procès important. Vous ajouterez qu'on
l'attend à la fin de la semaine." "Les malades s'abusent
toujours sur leur sort, pensa la comtesse, et il attendra le
retour de cet homme." Le médecin avait déclaré la veille
qu'il était difficile que le comte passât la journée. Quand
deux heures après, le valet de chambre vint faire à son
maître cette réponse désespérante, le moribond parut très
agité. "Mon Dieu ! mon Dieu ! répéta-t-il à plusieurs
reprises, je n'ai confiance qu'en vous." Il regarda son fils
pendant longtemps, et lui dit enfin d'une voix affaiblie :
"Ernest, mon enfant, tu es bien jeune ; mais tu as bon
cœur et tu comprends sans doute la sainteté d'une promesse faite à un mourant, à un père. Te sens-tu capable de
garder un secret, de l'ensevelir en toi-même de manière à
ce que ta mère elle-même ne s'en doute pas ? Aujourd'hui,
mon fils, il ne reste que toi dans cette maison à qui je
puisse me fier. Tu ne trahiras pas ma confiance ? – Non,
mon père. – Eh bien, Ernest, je te remettrai, dans quelques moments, un paquet cacheté qui appartient à
M. Derville, tu le conserveras de manière à ce que personne ne sache que tu le possèdes, tu t'échapperas de
l'hôtel et tu le jetteras à la petite poste qui est au bout de la
rue. – Oui, mon père. – Je puis compter sur toi ? – Oui,
mon père. – Viens m'embrasser. Tu me rends ainsi la mort
moins amère, mon cher enfant. Dans six ou sept années,
tu comprendras l'importance de ce secret, et alors, tu
seras bien récompensé de ton adresse et de ta fidélité,
alors tu sauras combien je t'aime. Laisse-moi seul un

Quelle image s'attache au personnage
de l'usurier-prêteur ?

Analyse d'images ▶ p. 114

Volpone

Film de Maurice Tourneur, avec
Charles Dullin, 1941.

I

Le Peseur d'or

**Gérard Dou,
huile sur toile
(29,1 cm × 23 cm)**

Le Prêteur et sa Femme

Quentin Metsys, huile sur bois
(70,5 cm × 67 cm), 1514.

III

TAMISIER. Sc.

Gobseck

Illustration pour
l'édition Furne
de *La Comédie
humaine*, 1842.

moment et empêche qui que ce soit d'entrer ici." Ernest ¹⁷⁸⁰ sortit, et vit sa mère debout dans le salon. "Ernest, lui dit-t-elle, viens ici." Elle s'assit en prenant son fils entre ses deux genoux, et le pressant avec force sur son cœur, elle l'embrassa. "Ernest, ton père vient de te parler. – Oui, maman. – Que t'a-t-il dit ? – Je ne puis pas le répéter, maman. – Oh ! mon cher enfant, s'écria la comtesse en l'embrassant avec enthousiasme, combien de plaisir me fait ta discrétion ! Ne jamais mentir et rester fidèle à sa parole, sont deux principes qu'il ne faut jamais oublier. – Oh ! que tu es belle, maman ! Tu n'as jamais menti, toi ! ¹⁷⁹⁰ j'en suis bien sûr. – Quelquefois, mon cher Ernest, j'ai menti. Oui, j'ai manqué à ma parole en des circonstances devant lesquelles cèdent toutes les lois. Écoute, mon Ernest, tu es assez grand, assez raisonnable pour t'apercevoir que ton père me repousse, ne veut pas de mes soins, et cela n'est pas naturel, car tu sais combien je l'aime. – Oui, maman. – Mon pauvre enfant, dit la comtesse en pleurant, ce malheur est le résultat d'insinuations perfides. De méchantes gens ont cherché à me séparer de ton père, dans le but de satisfaire leur avidité. Ils veulent nous priver ¹⁸⁰⁰ de notre fortune et se l'approprier. Si ton père était bien portant, la division qui existe entre nous cesserait bientôt, il m'écouterait ; et comme il est bon, aimant, il reconnaîtrait son erreur ; mais sa raison s'est altérée, et les préventions qu'il avait contre moi sont devenues une idée fixe, une espèce de folie, l'effet de sa maladie. La prédilection[1] que ton père a pour toi est une nouvelle preuve du dérangement de ses facultés. Tu ne t'es jamais aperçu qu'avant sa maladie il aimât moins Pauline et Georges que toi. Tout est caprice chez lui. La tendresse qu'il te porte pourrait lui suggérer ¹⁸¹⁰

1. Préférence.

l'idée de te donner des ordres à exécuter. Si tu ne veux pas ruiner ta famille, mon cher ange, et ne pas voir ta mère mendiant son pain un jour comme une pauvresse, il faut tout lui dire… – Ah ! ah !" s'écria le comte, qui, ayant ouvert la porte, se montra tout à coup presque nu, déjà même aussi sec, aussi décharné qu'un squelette. Ce cri sourd produisit un effet terrible sur la comtesse, qui resta immobile et comme frappée de stupeur. Son mari était si frêle et si pâle, qu'il semblait sortir de la tombe. "Vous avez abreuvé ma vie de chagrins, et vous voulez troubler ma mort, pervertir la raison de mon fils, en faire un homme vicieux[1]", cria-t-il d'une voix rauque. La comtesse alla se jeter au pied de ce mourant que les dernières émotions de la vie rendaient presque hideux et y versa un torrent de larmes. "Grâce ! grâce ! s'écria-t-elle. – Avez-vous eu de la pitié pour moi ? demanda-t-il. Je vous ai laissée dévorer votre fortune, voulez-vous maintenant dévorer la mienne, ruiner mon fils ! – Eh bien, oui, pas de pitié pour moi, soyez inflexible, dit-elle, mais les enfants ! Condamnez votre veuve à vivre dans un couvent, j'obéirai ; je ferai, pour expier mes fautes envers vous, tout ce qu'il vous plaira de m'ordonner ; mais que les enfants soient heureux ! Oh ! les enfants ! les enfants ! – Je n'ai qu'un enfant, répondit le comte en tendant, par un geste désespéré, son bras décharné vers son fils. – Pardon ! repentie, repentie !…" criait la comtesse en embrassant les pieds humides de son mari. Les sanglots l'empêchaient de parler et des mots vagues, incohérents sortaient de son gosier brûlant. "Après ce que vous disiez à Ernest, vous osez parler de repentir ! dit le moribond qui renversa la comtesse en agitant le pied. Vous me glacez ! ajouta-t-il

1. Plein de vices, de défauts.

avec une indifférence qui eut quelque chose d'effrayant. Vous avez été mauvaise fille, vous avez été mauvaise femme, vous serez mauvaise mère." La malheureuse femme tomba évanouie. Le mourant regagna son lit, s'y coucha, et perdit connaissance quelques heures après. Les prêtres vinrent lui administrer les sacrements. Il était minuit quand il expira. La scène du matin avait épuisé le reste de ses forces. J'arrivai à minuit avec le papa Gobseck. À la faveur du désordre qui régnait, nous nous introduisîmes jusque dans le petit salon qui précédait la chambre mortuaire, et où nous trouvâmes les trois enfants en pleurs, entre deux prêtres qui devaient passer la nuit près du corps. Ernest vint à moi et me dit que sa mère voulait être seule dans la chambre du comte. "N'y entrez pas, dit-il avec une expression admirable dans l'accent et le geste, elle y prie !" Gobseck se mit à rire, de ce rire muet qui lui était particulier. Je me sentais trop ému par le sentiment qui éclatait sur la jeune figure d'Ernest pour partager l'ironie de l'avare. Quand l'enfant vit que nous marchions vers la porte, il alla s'y coller en criant : "Maman, voilà des messieurs noirs qui te cherchent !" Gobseck enleva l'enfant comme si c'eût été une plume, et ouvrit la porte. Quel spectacle s'offrit à nos regards ! Un affreux désordre régnait dans cette chambre. Échevelée par le désespoir, les yeux étincelants, la comtesse demeura debout, interdite, au milieu de hardes, de papiers, de chiffons bouleversés. Confusion horrible à voir en présence de ce mort. À peine le comte était-il expiré, que sa femme avait forcé tous les tiroirs et le secrétaire, autour d'elle le tapis était couvert de débris, quelques meubles et plusieurs portefeuilles[2] avaient été brisés, tout portait l'empreinte de ses mains

2. Étuis contenant des documents.

hardies. Si d'abord ses recherches avaient été vaines, son attitude et son agitation me firent supposer qu'elle avait fini par découvrir les mystérieux papiers. Je jetai un coup d'œil sur le lit, et avec l'instinct que nous donne l'habitude des affaires, je devinai ce qui s'était passé. Le cadavre du comte se trouvait dans la ruelle[1] du lit, presque en travers, le nez tourné vers les matelas, dédaigneusement jeté comme une des enveloppes de papier qui étaient à terre ; car lui aussi n'était plus qu'une enveloppe. Ses membres raidis et inflexibles lui donnaient quelque chose de grotesquement horrible. Le mourant avait sans doute caché la contre-lettre sous son oreiller, comme pour la préserver de toute atteinte jusqu'à sa mort. La comtesse avait deviné la pensée de son mari, qui d'ailleurs semblait être écrite dans le dernier geste, dans la convulsion des doigts crochus. L'oreiller avait été jeté en bas du lit, le pied de la comtesse y était encore imprimé ; à ses pieds, devant elle, je vis un papier cacheté en plusieurs endroits aux armes[2] du comte, je le ramassai vivement et j'y lus une suscription[3] indiquant que le contenu devait m'être remis. Je regardai fixement la comtesse avec la perspicace sévérité d'un juge qui interroge un coupable. La flamme du foyer dévorait les papiers. En nous entendant venir, la comtesse les y avait lancés en croyant, à la lecture des premières dispositions que j'avais provoquées en faveur de ses enfants, anéantir un testament qui les privait de leur fortune. Une conscience bourrelée[4] et l'effroi involontaire inspiré par un crime à ceux qui le commettent lui avaient ôté l'usage de la réflexion. En se voyant surprise, elle voyait peut-être l'échafaud et sentait le fer rouge du bourreau. Cette femme attendait nos premiers mots en haletant, et nous

1. Espace entre le lit et le mur.
2. Voir encadré, p. 86.
3. Inscription, mention portée sur un document.
4. Tourmentée.

regardait avec des yeux hagards. "Ah ! madame, dis-je en retirant de la cheminée un fragment que le feu n'avait pas atteint, vous avez ruiné vos enfants ! ces papiers étaient leurs titres de propriété." Sa bouche se remua, comme si elle allait avoir une attaque de paralysie. "Hé ! hé !" s'écria Gobseck dont l'exclamation nous fit l'effet du grincement produit par un flambeau de cuivre quand on le pousse sur un marbre. Après une pause, le vieillard me dit d'un ton calme : "Voudriez-vous donc faire croire à Mme la comtesse que je ne suis pas le légitime propriétaire des biens que m'a vendus M. le comte ? Cette maison m'appartient depuis un moment." Un coup de massue appliqué soudain sur ma tête m'aurait moins causé de douleur et de surprise. La comtesse remarqua le regard indécis que je jetai sur l'usurier. "Monsieur, monsieur ! lui dit-elle sans trouver d'autres paroles. – Vous avez un fidéicommis ? lui demandai-je. – Possible. – Abuseriez-vous donc du crime commis par madame ? – Juste." Je sortis, laissant la comtesse assise auprès du lit de son mari et pleurant à chaudes larmes. Gobseck me suivit. Quand nous nous trouvâmes dans la rue, je me séparai de lui, mais il vint à moi, me lança un de ces regards profonds par lesquels il sonde les cœurs, et me dit de sa voix flûtée qui prit des tons aigus : "Tu te mêles de me juger ?" Depuis ce temps-là, nous nous sommes peu vus. Gobseck a loué l'hôtel du comte, il va passer les étés dans les terres, fait le seigneur, construit les fermes, répare les moulins, les chemins, et plante des arbres[5]. Un jour je le rencontrai dans une allée aux Tuileries. "La comtesse mène une vie héroïque, lui dis-je. Elle s'est consacrée à l'éducation de ses enfants qu'elle a parfaitement élevés. L'aîné est un

L'arrangement

Derville a accepté de recevoir la contre-lettre à condition que M. de Restaud ne déshérite pas complètement ses deux autres enfants, mais celle-ci ne lui est pas parvenue. Mme de Restaud, qui soupçonne une manœuvre, s'arrange pour que Derville et son mari à l'agonie ne puissent se rencontrer. Surprise en train de fouiller dans les papiers du défunt, elle brûle tous les documents, ce qui fait finalement de Gobseck le seul héritier de la fortune, puisque la contre-lettre a été détruite. ■

5. L'emploi du présent est, ici aussi, un oubli (voir note 3, p. 67).

charmant sujet… – Possible. – Mais, repris-je, ne devriez-vous pas aider Ernest ? – Aider Ernest ! s'écria Gobseck, non, non. Le malheur est notre plus grand maître, le malheur lui apprendra la valeur de l'argent, celle des hommes et celle des femmes. Qu'il navigue sur la mer parisienne ! quand il sera devenu bon pilote, nous lui donnerons un bâtiment[1]." Je le quittai sans vouloir m'expliquer le sens de ses paroles. Quoique M. de Restaud, auquel sa mère a donné de la répugnance pour moi, soit bien éloigné de me prendre pour conseil, je suis allé la semaine dernière chez Gobseck pour l'instruire de l'amour qu'Ernest porte à Mlle Camille en le pressant d'accomplir son mandat[2] puisque le jeune comte arrive à sa majorité. Le vieil escompteur[3] était depuis longtemps au lit et souffrait de la maladie qui devait l'emporter. Il ajourna sa réponse au moment où il pourrait se lever et s'occuper d'affaires, il ne voulait sans doute se défaire de rien tant qu'il aurait un souffle de vie ; sa réponse dilatoire[4] n'avait pas d'autres motifs. En le trouvant beaucoup plus malade qu'il ne croyait l'être, je restai près de lui pendant assez de temps pour reconnaître les progrès d'une passion que l'âge avait convertie en une sorte de folie. Afin de n'avoir personne dans la maison qu'il habitait, il s'en était fait le principal locataire et il en laissait toutes les chambres inoccupées. Il n'y avait rien de changé dans celle où il demeurait. Les meubles, que je connaissais si bien depuis seize ans, semblaient avoir été conservés sous verre, tant ils étaient exactement les mêmes. Sa vieille et fidèle portière, mariée à un invalide qui gardait la loge quand elle montait auprès du maître, était toujours sa ménagère, sa femme de confiance, l'introducteur de quiconque le venait voir, et remplissait auprès de lui les

1. Navire.
2. Exécuter la tâche pour laquelle il a été mandaté par le comte.
3. Voir lexique de l'usurier, p. 12.
4. Qui vise à gagner du temps.

fonctions de garde-malade. Malgré son état de faiblesse, Gobseck recevait encore lui-même ses pratiques, ses revenus, et avait si bien simplifié ses affaires qu'il lui suffisait de faire faire quelques commissions par son invalide pour les gérer au dehors. Lors du traité par lequel la France reconnut la république d'Haïti, les connaissances que possédait Gobseck sur l'état des anciennes fortunes à Saint-Domingue et sur les colons ou les ayants cause[5] auxquels étaient dévolues les indemnités le firent nommer membre de la commission instituée pour liquider leurs droits et répartir les versements dus par Haïti. Le génie de Gobseck lui fit inventer une agence pour escompter les créances des colons ou de leurs héritiers, sous les noms de Werbrust et Gigonnet avec lesquels il partageait les bénéfices sans avoir besoin d'avancer son argent, car ses lumières avaient constitué sa mise de fonds. Cette agence était comme une distillerie[6] où s'exprimaient les créances des ignorants, des incrédules, ou de ceux dont les droits pouvaient être contestés. Comme liquidateur[7], Gobseck savait parlementer avec les gros propriétaires qui, soit pour faire évaluer leurs droits à un taux élevé, soit pour les faire promptement admettre, lui offraient des présents proportionnés à l'importance de leurs fortunes. Ainsi les cadeaux constituaient une espèce d'escompte sur les sommes dont il lui était impossible de se rendre maître ; puis son agence lui livrait à vil prix les petites, les douteuses, et celles des gens qui préféraient un paiement immédiat, quelque minime qu'il fût, aux chances des versements incertains de la république. Gobseck fut donc l'insatiable boa de cette grande affaire. Chaque matin il recevait ses tributs[8] et les lorgnait comme eût fait le ministre d'un nabab avant de se

Haïti

Haïti avait conquis son indépendance en 1804 contre la France, au terme de combats particulièrement meurtriers pour les deux camps. Le gouvernement haïtien, soucieux de renouer des relations diplomatiques et commerciales, tenta un rapprochement avec la France après 1815. Après de longues négociations, une transaction intervint en 1825 : Haïti accepta de verser 150 millions de francs, somme énorme destinée à indemniser les anciens propriétaires européens. Balzac imagine que Gobseck est chargé de la répartition des indemnités, en raison de sa connaissance de cet ancien territoire. ■

5. Voir lexique de l'usurier, p. 12.
6. Lieu où l'on distille un liquide : on le traite en laissant s'évaporer une partie.
7. Voir lexique de l'usurier, p. 12.
8. Contributions que l'on doit payer ou donner en signe de dépendance.

décider à signer une grâce. Gobseck prenait tout, depuis la bourriche du pauvre diable jusqu'aux livres de bougie des gens scrupuleux, depuis la vaisselle des riches jusqu'aux tabatières d'or des spéculateurs. Personne ne savait ce que devenaient ces présents faits au vieil usurier. Tout entrait chez lui, rien n'en sortait. "Foi d'honnête femme, me disait la portière, vieille connaissance à moi, je crois qu'il avale tout sans que cela le rende plus gras, car il est sec et maigre comme l'oiseau de mon horloge." Enfin, lundi dernier, Gobseck m'envoya chercher par l'invalide, qui me dit en entrant dans mon cabinet : "Venez vite, monsieur Derville, le patron va rendre ses derniers comptes ; il a jauni comme un citron, il est impatient de vous parler, la mort le travaille, et son dernier hoquet lui grouille dans le gosier." Quand j'entrai dans la chambre du moribond, je le surpris à genoux devant sa cheminée où, s'il n'y avait pas de feu, il se trouvait un énorme monceau de cendres. Gobseck s'y était traîné de son lit, mais les forces pour revenir se coucher lui manquaient, aussi bien que la voix pour se plaindre. "Mon vieil ami, lui dis-je en le relevant et l'aidant à regagner son lit, vous aviez froid, comment ne faites-vous pas de feu ? – Je n'ai point froid, dit-il, pas de feu ! pas de feu ! Je vais je ne sais où, garçon, reprit-il en me jetant un dernier regard blanc et sans chaleur, mais je m'en vais d'ici ! J'ai la *carphologie*[1], dit-il en se servant d'un terme qui annonçait combien son intelligence était encore nette et précise. J'ai cru voir ma chambre pleine d'or vivant et je me suis levé pour en prendre. À qui tout le mien ira-t-il ? Je ne le donne pas au gouvernement, j'ai fait un testament, trouve-le, Grotius. La Belle Hollandaise avait une fille que j'ai vue je ne sais où, dans la rue

1. « Agitation continuelle et automatique des doigts, symptôme de délire » (*Grand Robert*).

Derville et la portière, illustration pour l'édition Furne
de *La Comédie humaine*, 1842.

Blanchiment
d'argent

Gobseck charge Derville de
retrouver *La Torpille*, sa loin-
taine héritière, une prostituée,
pour lui léguer sa fortune.
Celle-ci, éprise de Lucien de
Rubempré, le héros des *Illusions perdues* et de *Splendeurs
et Misères des courtisanes*,
meurt en léguant à son amant
ses biens, avant que Derville ne
la retrouve. Lucien se suicide et
l'immense fortune de Gobseck
échoit donc aux enfants de la
sœur de Lucien, Ève, et de son
mari Séchard, couple modèle,
prototype du mariage honnête.
Encore une histoire qui finit
bien : un bon placement. ∎

1. Orfèvre célèbre
   de cette époque.
2. Tableau du Louvre
   figurant une scène
   de l'histoire romaine.

Vivienne, un soir. Je crois qu'elle est surnommée *La Torpille*,
elle est jolie comme un amour, cherche-la, Grotius ! Tu es
mon exécuteur testamentaire, prends ce que tu voudras,
mange : il y a des pâtés de foie gras, des balles de café, des
sucres, des cuillers d'or. Donne le service d'Odiot[1] à ta
femme. Mais à qui les diamants ? Prises-tu, garçon ? j'ai
des tabacs, vends-les à Hambourg, ils gagnent *un demi*.
Enfin j'ai de tout et il faut tout quitter ! Allons, papa Gobseck, se dit-il, pas de faiblesse, sois toi-même." Il se dressa
sur son séant, sa figure se dessina nettement sur son
oreiller comme si elle eût été de bronze, il étendit son bras
sec et sa main osseuse sur sa couverture qu'il serra comme
pour se retenir, il regarda son foyer, froid autant que l'était
son œil métallique, et il mourut avec toute sa raison, en
offrant à la portière, à l'invalide et à moi, l'image de ces
vieux Romains attentifs que Lethière a peints derrière les
Consuls, dans son tableau de la mort des enfants de Bru-
tus[2]. "A-t-il du toupet, le vieux lascar !" me dit l'invalide
dans son langage soldatesque. Moi j'écoutais encore la fantastique énumération que le moribond avait faite de ses
richesses, et mon regard qui avait suivi le sien restait sur le
monceau de cendres dont la grosseur me frappa. Je pris les
pincettes, et quand je les y plongeai, je frappai sur un amas
d'or et d'argent, composé sans doute des recettes faites
pendant sa maladie et que sa faiblesse l'avait empêché de
cacher ou que sa défiance ne lui avait pas permis d'envoyer
à la Banque. "Courez chez le juge de paix, dis-je au vieil
invalide, afin que les scellés soient promptement apposés
ici !" Frappé des dernières paroles de Gobseck, et de ce que
m'avait récemment dit la portière, je pris les clefs des
chambres situées au premier et au second étage pour les

aller visiter. Dans la première pièce que j'ouvris, j'eus l'explication de discours que je croyais insensés, en voyant les effets d'une avarice à laquelle il n'était plus resté que cet instinct illogique dont tant d'exemples nous sont offerts par les avares de province. Dans la chambre voisine de celle où Gobseck était expiré, se trouvaient des pâtés pourris, une foule de comestibles de tout genre et même des coquillages, des poissons qui avaient de la barbe et dont les diverses puanteurs faillirent m'asphyxier. Partout fourmillaient des vers et des insectes. Ces présents récemment faits étaient mêlés à des boîtes de toutes formes, à des caisses de thé, à des balles de café. Sur la cheminée, dans une soupière d'argent étaient des avis d'arrivage de marchandises consignées en son nom au Havre, balles de coton, boucauts[3] de sucre, tonneaux de rhum, cafés, indigos[4], tabacs, tout un bazar de denrées coloniales ! Cette pièce était encombrée de meubles, d'argenterie, de lampes, de tableaux, de vases, de livres, de belles gravures roulées, sans cadres, et de curiosités. Peut-être cette immense quantité de valeurs ne provenait pas entièrement de cadeaux et constituait des gages qui lui étaient restés faute de paiement. Je vis des écrins armoriés ou chiffrés, des services en beau linge, des armes précieuses, mais sans étiquettes. En ouvrant un livre qui me semblait avoir été déplacé, j'y trouvai des billets de mille francs. Je me promis de bien visiter les moindres choses, de sonder les planchers, les plafonds, les corniches et les murs afin de trouver tout cet or dont était si passionnément avide ce Hollandais digne du pinceau de Rembrandt. Je n'ai jamais vu, dans le cours de ma vie judiciaire, pareils effets d'avarice et d'originalité. Quand je revins dans sa chambre, je

3. Barils en bois blanc, légers, utilisés pour le transport du sucre et du tabac.
4. Matières colorantes de couleur bleue, utilisées pour la teinture des étoffes.

2090 trouvai sur son bureau la raison du pêle-mêle progressif et de l'entassement de ces richesses. Il y avait sous un serre-papier une correspondance entre Gobseck et les marchands auxquels il vendait sans doute habituellement ses présents. Or, soit que ces gens eussent été victimes de l'habileté de Gobseck, soit que Gobseck voulût un trop grand prix de ses denrées ou de ses valeurs fabriquées, chaque marché se trouvait en suspens. Il n'avait pas vendu les comestibles à Chevet[1], parce que Chevet ne voulait les reprendre qu'à trente pour cent de perte. Gobseck chica-
2100 nait pour quelques francs de différence, et pendant la discussion les marchandises s'avariaient. Pour son argenterie, il refusait de payer les frais de la livraison. Pour ses cafés, il ne voulait pas garantir les déchets. Enfin chaque objet donnait lieu à des contestations qui dénotaient en Gobseck les premiers symptômes de cet enfantillage, de cet entêtement incompréhensible auxquels arrivent tous les vieillards chez lesquels une passion forte survit à l'intelligence. Je me dis, comme il se l'était dit à lui-même : "À qui toutes ces
2110 richesses iront-elles ?…" En pensant au bizarre renseignement qu'il m'avait fourni sur sa seule héritière, je me vois obligé de fouiller toutes les maisons suspectes de Paris pour y jeter à quelque mauvaise femme une immense fortune. Avant tout, sachez que, par des actes en bonne forme, le comte Ernest de Restaud sera sous peu de jours mis en possession d'une fortune qui lui permet d'épouser Mlle Camille, tout en constituant à la comtesse de Restaud sa mère, à son frère et à sa sœur, des dots et des parts suffisantes.

– Eh bien, cher monsieur Derville, nous y penserons,
2120 répondit Mme de Grandlieu. M. Ernest doit être bien

1. Célèbre magasin de luxe de l'époque.

Rembrandt, *Le Débiteur impitoyable*, XVIIe siècle.

Le blason (les armoiries) est le signe de l'origine aristocratique d'une famille. Les « gueules » désignent des émaux de couleur rouge disposés en lignes verticales, « sable » un émail de couleur noire. ∎

riche pour faire accepter sa mère par une famille comme la nôtre. Songez que mon fils sera quelque jour duc de Grandlieu, il réunira la fortune des deux maisons de Grandlieu, je lui veux un beau-frère à son goût.

– Mais, dit le comte de Born, Restaud *porte de gueules à la traverse d'argent accompagnée de quatre écussons d'or chargés chacun d'une croix de sable,* et c'est un très vieux blason !

– C'est vrai, dit la vicomtesse, d'ailleurs Camille pourra ne pas voir sa belle-mère qui a fait mentir la devise RES TUTA[1] !

– Mme de Beauséant[2] recevait Mme de Restaud, dit le vieil oncle.

– Oh ! dans ses raouts[3] », répliqua la vicomtesse.

1. Devise latine signifiant « chose bien défendue ».
2. Femme de la haute noblesse et personnage de nombreux romans de Balzac.
3. Soirées mondaines, grandes réceptions.

Relire...
Gobseck

Structure de l'œuvre

La structure de Gobseck *est commandée par l'enchâssement de trois récits ; une narration initiale anonyme à la troisième personne, le récit de Derville et celui de Gobseck.*

Narration anonyme 1   p. 13 à 17

Le salon de Mme de Grandlieu, une nuit de l'hiver 1829-1830, vers une heure du matin.

Mme de Grandlieu reproche à sa fille Camille l'intérêt qu'elle a porté au jeune comte de Restaud au cours de la soirée. Derville, le conseiller juridique et financier de la famille, intervient en proposant de raconter une histoire susceptible de modifier la mauvaise opinion de Mme de Grandlieu à l'égard du jeune homme.

Récit de Derville 1   p. 17 à 24

Portrait et biographie du vieil usurier, Gobseck, qui a été le maître et l'ami de Derville ; circonstances de leur rencontre.

Récit de Gobseck   p. 24 à 37

La scène se situe plusieurs années auparavant.

Gobseck expose sa « profession de foi » en la toute-puissance de l'or. Il illustre son propos par deux exemples. L'un évoque la figure d'une jeune femme honnête et sans histoire, Fanny Malvaut. L'autre met en scène une comtesse (en réalité Mme de Restaud, la mère du jeune comte), obligée de payer les dettes de son amant prodigue, Maxime de Trailles.

Narration anonyme 2   p. 37

Bref retour dans le salon de Mme de Grandlieu : on apprend successivement la mort récente de Gobseck, le mariage antérieur de Derville avec Fanny Malvaut et la prochaine fortune du jeune comte de Restaud.

Lignes 126 à 172

Retour au texte

1 · Relevez le champ lexical de la couleur dans le portrait de Gobseck.

2 · Relevez les images dans ce passage.

3 · Quels termes font référence à la mort ?

4 · Comment comprenez-vous l'expression « *homme modèle* » (l. 150) employée par Derville pour caractériser Gobseck ?

Interprétation

Un modèle pour un peintre ?

5 · Relevez les références à la peinture au début du portrait. Quelles informations donnent-elles sur Gobseck ?

6 · Quelle impression se dégage de la description physique du personnage au début du passage ?

7 · À quel type renvoie ce personnage ?

Un modèle d'économie ?

8 · Que traduit le comportement de Gobseck dans la vie quotidienne ?

9 · Quel renseignement la référence à Fontenelle (voir encadré, p. 18) donne-t-elle sur le personnage ?

10 · Comment interprétez-vous la comparaison de l'existence de Gobseck à celle d'une « horloge antique » (l. 157) ?

11 · Quelle image de Gobseck donne le texte écho 1 (p. 91) ? Comparez avec le passage étudié.

Un modèle de discrétion ?

12 · Quelle évolution se produit dans le portrait du personnage à la fin du passage ? Que vous semble-t-elle traduire ?

13 · Que suggère l'expression « fumée de gaieté » (l. 164) ? À quel passage antérieur de l'extrait fait-elle écho ? Quelle hypothèse peut-on faire sur la personnalité de Gobseck ?

14 · Comparez ce portrait à celui du texte écho 2 (p. 91).

Et vous ?

Exposé

Recherchez des informations sur quelques exemples célèbres d'avares dans la littérature : Harpagon (Molière, *L'Avare*), le père Grandet (Balzac, *Eugénie Grandet*), etc. Comparez ces personnages à la figure de Gobseck.

TEXTES ÉCHOS

Texte 1 • Balzac, *Le Père Goriot* (1834)

Gobseck réapparaît dans Le Père Goriot. *Voici son portrait caricatural brossé par Vautrin, l'un des personnages clés du roman, à sa logeuse, Mme Vauquer.*

— Le père Goriot était à huit heures et demie rue Dauphine, chez l'orfèvre qui achète de vieux couverts et des galons. Il lui a vendu pour une bonne somme un ustensile de ménage en vermeil, assez joliment tortillé pour un homme qui n'est pas de la manique[1].

— Bah ! vraiment ?

— Oui. Je revenais ici après avoir conduit un de mes amis qui s'expatrie par les Messageries royales[2] ; j'ai attendu le père Goriot pour voir : histoire de rire. Il a remonté dans ce quartier-ci, rue de Grès, où il est entré dans la maison d'un usurier connu, nommé Gobseck, un fier drôle, capable de faire des dominos avec les os de son père ; un juif, un arabe, un grec, un bohémien, un homme qu'on serait bien embarrassé de dévaliser, il met ses écus à la Banque.

Chapitre I.

1. Qui n'est pas du métier.
2. Entreprise de transports (essentiellement des diligences).

Texte 2 • La Mode (1830)

Au mois de mars 1830, Balzac publiait un fragment de Gobseck, *sous le titre* L'Usurier, *dans la revue* La Mode. *Quelques semaines auparavant, on pouvait lire dans le même journal cet autre portrait d'usurier moderne, que l'on comparera à celui de Balzac, mais aussi à celui de Maxime de Trailles...*

Mais dites-moi, au milieu de tous ces calculateurs qui placent leur argent à fonds perdus et leur temps en plaisirs, quel est ce jeune homme que les autres accueillent à la fois avec empressement et embarras ? Ils semblent avoir besoin de faire un effort pour toucher la main qu'il leur présente avec importance ; on dirait un ministre au milieu de ses employés. Un solitaire au doigt, un brillant sur la poitrine, une mise élégante ! C'est un agent de change sans doute ? Un banquier peut-être ? Que sais-je ? Un journaliste ? Un auteur en vogue ? – Eh non ! c'est un usurier ! Pauvre Molière, tes Harpagon, tes fesse-mathieu[1] ne sont plus que d'une vérité historique. Dans notre heureux siècle, la civilisation a passé sur ce caractère qui leur ressortait[2] jadis. Rien de nos jours ne ressemble plus à un honnête homme qu'un fripon. L'usure loge au premier maintenant, elle a son carrosse, des diamants, des laquais, elle boit, elle mange, elle est accorte, affable, bon convive, elle conclut des affaires au milieu des bouchons qui sautent, à la vapeur bleuâtre du punch qui bouillonne, et moyennant un honnête intérêt de 300 pour cent, elle oblige tous les fils de famille pourvu que les pères jouissent d'une fortune très forte et d'une très faible santé. Écoutez ces jeunes gens si brillants et si gais et vous saurez de merveilleuses histoires. L'un vous dira ce qu'on a de pavés ou de rasoirs pour une lettre de change de cent louis. Un autre a rencontré une pro-vidence assez arabe pour lui prêter mille écus en chameaux ! Celui-ci n'avait pu obtenir l'hiver passé que des bières[3] et il est réduit à souhaiter une morta-lité dans Paris pour réaliser ses fonds. Écoutez, ce n'est qu'ici que vous apprendrez comment on achète des chevaux le matin pour les revendre le soir et comment, quand le bottier refuse tout crédit, on se résigne à prendre un équipage. Ici vous êtes placé entre les calculs de la finance et les extravagances de la jeunesse : « tout ce qui entre ici, me disait un jour un habitué du lieu, ruine, se ruine ou est ruiné ».

1. Usuriers.
2. Appartenait.
3. Cercueils.

Lignes 261 à 662

Retour au texte

1 · Pourquoi les termes « *intérêt personnel* » (l. 321) et « *moi* » (l. 335) sont-ils en italique, et « OR » (l. 324) en majuscules ?

2 · Comment comprenez-vous la phrase : « L'or est le spiritualisme de vos sociétés actuelles » (l. 628-629) ?

Interprétation

Jouir de l'avoir

3 · Quelles leçons Gobseck a-t-il tirées de ses voyages ? À quelle conclusion est-il arrivé ?

4 · À quoi attribue-t-il les plaisirs et les passions des Parisiens ? Comment les juge-t-il ? Pourquoi ?

5 · Quelle attitude adopte-t-il à leur égard ? Que pense-t-il posséder qu'ils n'ont pas ? Par quels moyens ?

Jouir du savoir

6 · Quel type de savoir possède Gobseck ? À qui s'assimile-t-il ainsi ?

7 · À quoi compare-t-il les différents personnages qu'il évoque ? Rapprochez cet élément du titre général, *La Comédie humaine*, que Balzac a donné à l'ensemble de son œuvre. Que pouvez-vous en conclure ?

Jouir du pouvoir

8 · Quel pouvoir le savoir de Gobseck lui confère-t-il ? En quoi le texte écho (p. 94) éclaire-t-il ce processus ?

9 · Quelle forme particulière prend ce pouvoir ? Quels avantages et limites présente-t-il ?

10 · Analysez la dernière phrase du passage (l. 660 à 662). Quel paradoxe révèle-t-elle sur la nature de la jouissance éprouvée par Gobseck ?

11 · À la lumière de vos analyses, expliquez pourquoi l'appellation « papa Gobseck » peut être qualifiée d'« antiphrase » et résonner alors comme une raillerie.

Et vous ?

Lecture comparée

Quelles ressemblances et quelles différences percevez-vous entre les propos de l'antiquaire dans *La Peau de chagrin* (texte écho, p. 94) et ceux de Gobseck ? Vous rédigerez un paragraphe comparatif.

TEXTE ÉCHO

Balzac, *La Peau de chagrin* (1831)

Dans ce roman, publié peu après Gobseck, Balzac fait parler l'antiquaire, un personnage dont le discours sur la toute-puissance s'apparente à celui de Gobseck.

Je vais vous révéler en peu de mots un grand mystère de la vie humaine. L'homme s'épuise par deux actes instinctivement accomplis qui tarissent les sources de son existence. Deux verbes expriment toutes les formes que prennent ces deux causes de mort : VOULOIR et POUVOIR. Entre ces deux termes de l'action humaine, il est une autre formule dont s'emparent les sages, et je lui dois le bonheur et ma longévité. *Vouloir* nous brûle et *Pouvoir* nous détruit ; mais SAVOIR laisse notre faible organisation dans un perpétuel état de calme. Ainsi le désir ou le vouloir est mort en moi, tué par la pensée ; le mouvement ou le pouvoir s'est résolu par le jeu naturel de mes organes. En deux mots, j'ai placé ma vie, non dans le cœur qui se brise, non dans les sens qui s'émoussent, mais dans le cerveau qui ne s'use pas et qui survit à tout. Rien d'excessif n'a froissé ni mon âme, ni mon corps. Cependant, j'ai vu le monde entier. Mes pieds ont foulé les plus hautes montagnes de l'Asie et de l'Amérique, j'ai appris tous les langages humains, et j'ai vécu sous tous les régimes. J'ai prêté mon argent à un Chinois en prenant pour gage le corps de son père, j'ai dormi sous la tente de l'Arabe sur la foi de sa parole, j'ai signé des contrats dans toutes les capitales européennes, et j'ai laissé sans crainte mon or dans le wigwam des sauvages ; enfin j'ai tout obtenu, parce que j'ai tout su dédaigner. Ma seule ambition a été de voir. Voir, n'est-ce pas savoir ?... Oh ! savoir, jeune homme, n'est-ce pas jouir intuitivement ? n'est-ce pas découvrir la substance même du fait et s'en emparer essentiellement ? Que reste-t-il d'une possession matérielle ? une idée. Jugez alors combien doit être belle la vie d'un homme qui, pouvant empreindre toutes les réalités dans sa pensée, transporte en son âme les sources du bonheur, en extrait mille voluptés idéales dépouillées des souillures terrestres. La pensée est la clef de tous les trésors, elle procure les joies de l'avare sans en donner les soucis. Aussi ai-je plané sur le monde, où mes plaisirs ont toujours été des jouissances intellectuelles. Mes débauches étaient la contemplation des mers, des peuples, des forêts, des montagnes ! J'ai tout vu, mais tranquillement, sans fatigue ; je n'ai jamais rien désiré, j'ai tout attendu. Je me suis promené dans l'univers comme dans le jardin d'une habitation qui m'appartenait. Ce que les hommes appellent chagrins, amours, ambitions, revers, tristesse, est, pour moi, des idées que je change en rêveries ; au lieu de les sentir, je les exprime, je les traduis ; au lieu de leur laisser dévorer ma vie, je les dramatise, je les développe ; je m'en amuse comme de romans que je lirais par une vision intérieure. N'ayant jamais lassé mes organes, je jouis encore d'une santé robuste. Mon âme ayant hérité de toute la force dont je n'abusais pas, cette tête est encore mieux meublée que ne le sont mes magasins. Là, dit-il en se frappant le front, là sont les vrais millions.

Chapitre I.

Pause lecture 3   L'amour, un jeu d'argent : qui remportera la mise ?

Lignes 1049 à 1223

Retour au texte

1 · À qui Derville compare-t-il Mme de Restaud et Maxime de Trailles dans la première partie de la scène ? Quel est l'effet produit ?

2 · Que signifie exactement la réplique de Maxime de Trailles : « Adieu, chère Anastasie, sois heureuse ! Quant à moi, demain, je n'aurai plus de soucis. » (l. 1183 à 1185) ?

Interprétation

Le pouvoir de l'amour

3 · Pourquoi Mme de Restaud est-elle présente dans cette scène ? Comment Derville décrit-il sa situation au début du passage ?

4 · Dégagez l'évolution de la situation de Mme de Restaud au fil de la scène. Quels sentiments inspire-t-elle à Derville ?

5 · Comment Maxime de Trailles se conduit-il parallèlement ? Qualifiez son attitude.

La puissance des diamants

6 · Quelles informations supplémentaires nous donne le récit de Mme de Restaud à son père, dans le texte écho (p. 97) ? Quels aspects du personnage de Mme de Restaud ce texte éclaire-t-il plus particulièrement ?

7 · Quelles réactions la vue des diamants suscite-t-elle chez Gobseck ? En quoi sont-elles différentes de son comportement habituel ?

8 · Deux types de sentiments se mêlent chez Gobseck. Lesquels ? Que révèlent-ils de sa personnalité ?

9 · Quelle opinion Gobseck a-t-il de Maxime de Trailles ? Dans quelle phrase cela apparaît-il clairement ?

La science de Gobseck

10 · Quelles sont les intentions de Maxime de Trailles ? Que veut-il obtenir de l'usurier ?

11 · Comment Gobseck déjoue-t-il ses plans ? Pourquoi est-ce pour lui un double triomphe ?

12 · Quel rôle Derville se donne-t-il dans cet épisode ? En quoi se conforme-t-il à son attitude habituelle ?

Et vous ?

Écriture d'invention

Imaginez, dans un court monologue intérieur, les pensées de Mme de Restaud après cette scène.

TEXTE ÉCHO

Balzac, *Le Père Goriot* (1834)

Cette scène, extraite du Père Goriot, *illustre à la fois l'étroite relation entre les deux œuvres et le principe du retour des personnages. Après avoir été contrainte d'abandonner ses diamants à Gobseck, Mme de Restaud se rend chez son père, où se trouve déjà sa sœur Delphine de Nucingen, elle aussi en proie à des déconvenues conjugales et financières, avec l'intention de lui demander de l'argent. Elle donne sa version de l'épisode.*

Figurez-vous, mon père, il y a quelque temps, vous souvenez-vous de cette lettre de change de Maxime ? Eh bien ce n'était pas la première. J'en avais déjà payé beaucoup. Vers le commencement de janvier, monsieur de Trailles me paraissait bien chagrin. Il ne me disait rien ; mais il est si facile de lire dans le cœur des gens qu'on aime, un rien suffit : puis il y a des pressentiments. Enfin il était plus aimant, plus tendre que je ne l'avais jamais vu, j'étais toujours plus heureuse. Pauvre Maxime ! dans sa pensée, il me faisait ses adieux, m'a-t-il dit ; il voulait se brûler la cervelle. Enfin je l'ai tant tourmenté, tant supplié, je suis restée deux heures à ses genoux. Il m'a dit qu'il devait cent mille francs ! Oh ! Papa, cent mille francs ! Je suis devenue folle. Vous ne les aviez pas, j'avais tout dévoré…

– Non, dit le père Goriot, je n'aurais pas pu les faire, à moins d'aller les voler. Mais j'y aurais été, Nasie ! J'irai.

À ce mot lugubrement jeté, comme un son du râle d'un mourant, et qui accusait l'agonie du sentiment paternel réduit à l'impuissance, les deux sœurs firent une pause. Quel égoïsme serait resté froid à ce cri de désespoir qui, semblable à une pierre lancée dans un gouffre, en révélait la profondeur ?

– Je les ai trouvés en disposant de ce qui ne m'appartenait pas, mon père, dit la comtesse en fondant en larmes.

Delphine fut émue et pleura en mettant la tête sur le cou de sa sœur.

– Tout est donc vrai, lui dit-elle.

Anastasie baissa la tête, madame de Nucingen la saisit à plein corps, la baisa tendrement, et l'appuyant sur son cœur :

– Ici, tu seras toujours aimée sans être jugée, lui dit-elle.

– Mes anges, dit Goriot d'une voix faible, pourquoi votre union est-elle due au malheur ?

– Pour sauver la vie de Maxime, enfin pour sauver tout mon bonheur, reprit la comtesse encouragée par ces témoignages d'une tendresse chaude et palpitante, j'ai porté chez cet usurier que vous connaissez, un homme fabriqué par l'enfer, que rien ne peut attendrir, ce monsieur Gobseck, les diamants de famille auxquels tient tant monsieur de Restaud, les siens, les miens, tout, je les ai vendus. Vendus ! comprenez-vous ? il a été sauvé ! Mais, moi, je suis morte. Restaud a tout su.

Chapitre IV.

Lignes 1847 à 1915

Retour au texte

1 · À quelle heure se déroule la scène ? Commentez ce choix en le rapprochant, par exemple, du début du récit.

2 · Par quels termes le jeune comte de Restaud annonce-t-il Gobseck et Derville à sa mère ? Quel effet produit cette expression dans le contexte ?

3 · À quoi le cadavre du comte de Restaud est-il assimilé ? Que révèle cette comparaison sur le sens de la scène ?

Interprétation

Une étrange veillée funèbre

4 · Distinguez les différents moments du passage et analysez sa progression.

5 · De quel point de vue la scène est-elle décrite ? Quel effet en résulte-t-il ?

6 · Cette scène est-elle choquante ? Justifiez votre réponse en prenant appui sur les indices fournis par la narration.

La passion plus forte que la mort

7 · Quelle image Derville donne-t-il de Mme de Restaud ? Quelle impression cherche-t-il à produire sur son auditoire ?

8 · Analysez et commentez les détails donnés sur le cadavre de M. de Restaud.

9 · Quels points communs rapprochent le mari et la femme par-delà la mort ? En quoi sont-ils conformes à la peinture des comportements humains selon Gobseck (voir pause lecture 2, p. 93) ?

10 · En quoi le texte de Flaubert (texte écho, p. 100) pourrait-il apparaître comme une réécriture de celui de Balzac ?

Derville et Gobseck : des personnages à sang froid ?

11 · Analysez les attitudes et les actions de Derville : quelles indications donnent-elles sur le personnage ?

12 · Étudiez les gestes et les paroles de Gobseck. Quelles différences notez-vous avec le comportement de Derville ? Interprétez ces différences.

13 · Quelles relations entretiennent ici les deux personnages ?

14 · Quelle est l'issue de cette scène ? Que peut déduire le lecteur de l'attitude de Gobseck ?

Et vous ?

Écriture d'invention

Réécrivez l'extrait de Balzac ou de Flaubert (texte écho, p. 100) sous forme de dialogue théâtral et mettez-le en scène.

TEXTE ÉCHO

Flaubert, *L'Éducation sentimentale* (1869)

Mme Dambreuse vide les tiroirs de son mari qui vient de décéder, sous les yeux de son amant Frédéric Moreau. À une époque et dans des milieux sociaux où le mariage est avant tout une affaire de patrimoine, testament et héritage sont des préoccupations fondamentales.

Quand il se présenta le lendemain à l'hôtel Dambreuse, on l'avertit que Madame travaillait en bas, dans le bureau. Les cartons, les tiroirs étaient ouverts pêle-mêle, les livres de comptes jetés de droite et de gauche ; un rouleau de paperasses ayant pour titre : « Recouvrements désespérés » traînait par terre ; il manqua tomber dessus et le ramassa. Mme Dambreuse disparaissait, ensevelie dans le grand fauteuil,

– Eh bien ? où êtes-vous donc ? qu'y a-t-il ?

Elle se leva d'un bond.

– Ce qu'il y a ? Je suis ruinée, ruinée ! entends-tu ?

M. Adolphe Langlois, le notaire, l'avait fait venir en son étude, et lui avait communiqué un testament, écrit par son mari, avant leur mariage. Il léguait tout à Cécile[1] ; et l'autre testament était perdu. Frédéric devint très pâle. Sans doute elle avait mal cherché ?

– Mais regarde donc ! dit Mme Dambreuse, en lui montrant l'appartement.

Les deux coffres-forts bâillaient, défoncés à coups de merlin[2], et elle avait retourné le pupitre, fouillé les placards, secoué les paillassons, quand tout à coup, poussant un cri aigu, elle se précipita dans un angle où elle venait d'apercevoir une petite boîte à serrure de cuivre ; elle l'ouvrit, rien !

– Ah ! le misérable ! Moi qui l'ai soigné avec tant de dévouement !

Puis elle éclata en sanglots.

– Il est peut-être ailleurs ? dit Frédéric.

Eh non ! il était là ! dans ce coffre-fort. Je l'ai vu dernièrement. Il est brûlé ! j'en suis certaine !

Un jour, au commencement de sa maladie, M. Dambreuse était descendu pour donner des signatures.

– C'est alors qu'il aura fait le coup !

Et elle retomba sur une chaise, anéantie. Une mère en deuil n'est pas plus lamentable près d'un berceau vide que ne l'était Mme Dambreuse devant les coffres-forts béants. Enfin, sa douleur – malgré la bassesse du motif – semblait tellement profonde qu'il tâcha de la consoler en lui disant qu'après tout, elle n'était pas réduite à la misère.

1. Nièce de M. Dambreuse, orpheline.
2. Petit marteau.

3e partie, chapitre IV.

Lecture transversale 1

La société parisienne de 1830 est-elle comparable aux tribus indiennes ?

Retour au texte

1 · En relisant le texte, relevez les références, directes ou indirectes, aux sociétés considérées traditionnellement comme « sauvages », « archaïques » ou « primitives ».

2 · Où Gobseck a-t-il passé sa jeunesse ? Que pensez-vous, à ce propos, de cette formule de Derville : « quand il parlait des Indes ou de l'Amérique, ce qui ne lui arrivait avec personne, et fort rarement avec moi, il semblait que ce fût une indiscrétion, il paraissait s'en repentir » (l. 247 à 250) ?

Interprétation

À quelle logique économique obéit la société parisienne ?

3 · Quels usages Gobseck fait-il de l'or dans le récit ? Peut-on dire qu'il est avare au sens habituel du terme ? Vous vous appuierez sur les textes échos 1, 2 et 3 (p. 103 à 105) pour argumenter votre réponse.

4 · En quoi son attitude lui confère-t-elle une supériorité et en fait-elle un homme de pouvoir ?

Comment se marie-t-on à Paris en 1830 ?

5 · De quels mariages est-il question dans le texte ? Quelles relations peut-on établir entre eux ? À quelles lois obéissent-ils ?

6 · Quel rôle Gobseck vous semble-t-il jouer dans ces alliances ? Et Derville ?

7 · Quelles activités exercent les femmes de la famille de Gobseck selon ses propos (l. 209 à 227) ? Que dit-il de leur rapport au mariage ?

Quelles perturbations menacent l'ordre social ?

8 · À quels moyens doit avoir systématiquement recours Mme de Restaud pour sauver les apparences ? À quelle autre femme est-elle comparée dans le texte ? Pourquoi ?

9 · Quelles sont les conséquences financières de son adultère pour sa famille ? et pour elle-même ? Qui est le véritable responsable de cette situation ?

10 · Maxime de Trailles menace-t-il la société de son temps ? Vous prendrez appui sur le texte écho 3 (p. 105) pour argumenter votre point de vue.

Et vous ?

Exposé

Vous donnerez votre avis sur le rôle de Mme de Restaud : victime de son amant ? responsable des malheurs de sa famille ? mère exemplaire ? femme libérée dans une société qui ne le tolère pas ? etc.

Texte 1 • Montesquieu, *De l'esprit des lois* (1748)

Au XVIIIᵉ siècle, Montesquieu souligne comment la communauté juive, pour se protéger des persécutions des princes chrétiens, a inventé ainsi, par le biais de la lettre de change, les formes modernes de la finance.

Les rois ne pouvant fouiller dans la bourse de leurs sujets, à cause de leurs privilèges, mettaient à la torture les juifs qu'on ne regardait pas comme citoyens.

Enfin, il s'introduisit une coutume qui confisqua tous les biens des juifs qui embrassaient le christianisme. Cette coutume si bizarre, nous la savons par la loi qui l'abroge[1]. On en a donné des raisons bien vaines ; on a dit qu'on voulait les éprouver, et faire en sorte qu'il ne restât rien de l'esclavage du démon. Mais il est visible que cette confiscation était une espèce de droit d'amortissement[2], pour le prince ou pour les seigneurs, des taxes qu'ils levaient sur les juifs, et dont ils étaient frustrés lorsque ceux-ci embrassaient le christianisme. Dans ces temps-là, on regardait les hommes comme des terres. Et je remarquerai, en passant, combien on s'est joué de cette nation d'un siècle à l'autre. On confisquait leurs biens lorsqu'ils voulaient être chrétiens, et, bientôt après, on les fit brûler lorsqu'ils ne voulurent pas l'être.

Cependant on vit le commerce sortir du sein de la vexation et du désespoir. Les juifs, proscrits tour à tour de chaque pays, trouvèrent le moyen de sauver leurs effets. Par là ils rendirent pour jamais leurs retraites fixes ; car tel prince qui voudrait bien se défaire d'eux, ne serait pas pour cela d'humeur à se défaire de leur argent.

Ils inventèrent les lettres de change ; et, par ce moyen, le commerce put éluder la violence, et se maintenir partout, le négociant le plus riche n'ayant que des biens invisibles, qui pouvaient être envoyés partout, et ne laissaient de trace nulle part.

Livre 21, chap. 21.

1. Qui l'annule.
2. Ici, compensation financière.

Texte 2 • Jacqueline Mesnil, « Balzac et les juifs » (1950)

En comparant la fortune de Gobseck à celle du père Grandet, type de l'avare balzacien, cet article met en évidence son originalité : masse impalpable, constituée essentiellement de papiers, la fortune de Gobseck est immatérielle, par opposition à l'image traditionnelle de la richesse.

Le cadre du vieux Gobseck lui-même est abstrait, sa chambre sordide et impersonnelle comme une lettre de change, il n'a pas de bonne, une vague portière qui fait son ménage, un traiteur lui monte ses repas, bref, il vit comme à l'hôtel, *comme à l'étranger, et comme un étranger,* comme il vivrait à Hambourg, à Madrid ou à Calcutta. Ses origines, elles-mêmes, sont incertaines, sa mère était juive et son père hollandais, mais d'une Hollande de fantaisie, son passé est fait de grands voyages de l'Inde, en Amérique, dans des pays extravagants où personne ne va, il a rencontré toutes sortes de gens, son expérience est infinie… Tout ce qui touche à Gobseck demeure mystérieux et il semble que Balzac lui-même n'ait pas cherché à dissiper entièrement le mystère de son personnage. Gobseck est tout entier en bizarreries, en contrastes incompréhensibles aux yeux d'autrui, avec ses longs voyages et sa vie sédentaire, et étonne ses voisins, inquiète ses clients… Quoi qu'il en soit, l'usurier de génie, auprès du génial vigneron[1], fait un peu figure suspecte d'aventurier international. Sa carrière de prêteur d'argent, ses conceptions financières, la composition de sa fortune et peut-être même son avarice sont fluides, invisibles, mouvantes. Ses biens eux-mêmes sont nébuleux, vaporeux, tous en effets, en traites, en papier, en brocante, et en objets hétéroclites qui changent constamment, et quant à l'or qu'il possède et que nul ne connaît, il est à la banque. Il est impossible de suivre sa fortune ou ses activités, ou ses ambitions à la trace. Sa fortune est voyageuse comme celle de Magus[2] dont les tableaux eux-mêmes sont des biens mouvants et cachés ; au moindre danger on peut plier les toiles en une demi-heure.

© *Europe*, revue littéraire mensuelle.

1. Le père Grandet.
2. Marchand de tableaux qui apparaît dans *Pierre Grassou* (1839) puis dans *Le Cousin Pons* (1847).

Texte 3 • Léo Mazet, « Récit dans le récit : l'échange du récit chez Balzac » (1976)

Le parallèle établi dans ce texte entre le comportement de Derville et celui de Maxime de Trailles met en évidence ce que doit être la règle de circulation de l'argent et, par contraste, ce qu'est sa perversion. Le personnage de Gobseck apparaît, de manière inattendue, comme le gardien de l'ordre et le garant de l'échange.

Autant Derville se conforme aux lois de l'échange en s'acquittant de ses obligations, autant le dissipateur de l'envergure d'un Maxime de Trailles cherche à s'y soustraire. Le dissipateur transgresse : il ne s'acquitte qu'à son corps défendant. Gobseck doit recourir à la ruse pour se faire rembourser les lettres de change souscrites par l'amant de Mme de Restaud. La dissipation est un défi porté au code de l'échange [...]. Si le dissipateur ne connaît que l'aller perpétuellement renouvelé de l'emprunt et de la dépense [...], l'usurier est là pour le rappeler à l'ordre. « Si le roi me devait et qu'il ne me payât pas, je l'assignerais encore plus promptement que tout autre débiteur », déclare Gobseck. Aussi M. de Restaud confie-t-il à celui-ci le soin d'empêcher la dilapidation complète de son patrimoine aux mains de la comtesse et de son amant. À la dépense incontrôlée et ruineuse, Gobseck opposera une rétention[1] passagère et bénéfique. L'essence de l'usurier, c'est d'être redresseur de l'échange.

L'Année balzacienne, © PUF.

1. Action de retenir une somme d'argent due à une autre personne. Allusion ici aux manœuvres de Gobseck pour préserver l'héritage du comte de Restaud.

Retour au texte

1 · Retrouvez dans le texte les différents jugements que Derville porte sur Gobseck. Quels sentiments révèlent-ils ?

2 · Derville est l'un des rares hommes à qui Gobseck fait confiance. Pour quelles raisons ? Appuyez-vous sur des passages précis.

3 · « Je t'ai dispensé de la reconnaissance en te donnant le droit de croire que tu ne me devais rien » (l. 1398 à 1400). Comment comprenez-vous cette phrase et qu'en pensez-vous ?

Interprétation

Quelles relations lient Derville et Gobseck ?

4 · Quel service financier Gobseck a-t-il rendu à Derville au début de sa carrière ? Que lui a-t-il demandé en échange ? Derville vous semble-t-il alors redevable à Gobseck ? Vous vous référerez au texte écho 2 (p. 108).

5 · Comment Derville a-t-il connu son épouse ? Vous semble-t-il, là encore, redevable à Gobseck ? Aidez-vous de votre lecture du texte écho 2 (p. 108).

6 · Derville appelle Gobseck « ami » à plusieurs reprises. Cette expression vous semble-t-elle caractériser leurs relations ? Pourquoi ?

Derville et Gobseck ont-ils la même morale ?

7 · Quel rôle les deux personnages jouent-ils respectivement auprès de M. de Restaud ? Quels résultats veulent-ils obtenir ?

8 · Plus généralement, quels desseins poursuivent Gobseck et Derville dans ce récit ? Sont-ils identiques ? Appuyez-vous sur les textes échos 2 et 3 (p. 108 et 109).

9 · Quels moyens mettent-ils en œuvre pour y parvenir ? Comparez-les.

10 · En quoi le texte écho 1 (p. 107) éclaire-t-il le rôle moral des deux personnages ?

Derville est-il l'héritier de Gobseck ?

11 · Pour quelles raisons Derville fait-il ce récit à Mme de Grandlieu ?

12 · Analysez son rôle à la mort de Gobseck. Que va-t-il faire de sa fortune ?

13 · À la fin du récit, que lègue réellement Gobseck à Derville ?

Et vous ?

Écriture d'invention

D'après vous, que pense Mme de Grandlieu de Gobseck ? En quoi le récit de Derville peut-il l'intéresser ? Vous imaginerez la lettre qu'elle écrit à ce sujet à l'une de ses amies après cette soirée.

Texte 1 • Anne-Marie Baron, *Balzac ou l'Auguste Mensonge* (1993)

Autour du thème du mensonge, l'auteur fait apparaître la complicité, ou plus exactement la complémentarité de Gobseck et de Derville. Maîtres du jeu, ils se partagent les rôles pour veiller à ce qu'il ne soit pas faussé.

Deux personnages [...] sondent les cœurs, Derville, l'avoué, obligé d'avouer à son tour, et Gobseck, l'usurier, à qui le romancier délègue ses pouvoirs. Deux parangons[1] de franchise, liés l'un à l'autre par la confiance réciproque. La « haute probité » de l'un n'a d'égale que la rigueur de l'autre. Tous deux sont d'une perspicacité qui est à la fois déformation professionnelle et « seconde vue » de l'homme supérieur, « pénétration de tous les ressorts qui font mouvoir l'humanité », pouvoir « de pénétrer dans les plus secrets replis du cœur humain, d'épouser la vie des autres, et de la voir à nu ». Le premier récit de Gobseck, enchâssé dans celui de Derville, décrit deux attitudes féminines extrêmes, d'une part le mensonge de la comtesse de Restaud lorsqu'il va réclamer le paiement de l'effet qu'elle lui doit (« Monsieur est un de mes fournisseurs ») et d'autre part la franchise et l'honnêteté de Fanny Malvaut, payant exactement sa dette.

Un deuxième mensonge est mis en scène par le narrateur, celui de Maxime de Trailles se vantant de ses relations, de revenus étrangers, de sa prestance de *fashionable*[2]. Loin d'être dupe de cette arrogance, Gobseck la démasque froidement : « Vous venez à moi [...] parce que Girard, Palma, Werbrust et Gigonnet ont le ventre plein de vos lettres de change, qu'ils offrent partout à cinquante pour cent de perte ; or, comme ils n'ont probablement fourni que moitié de la valeur, elles ne valent pas vingt-cinq. » Le cynisme du dandy va jusqu'à feindre de quitter Anastasie de Restaud pour la contraindre à donner ses diamants en gage à Gobseck.

Enfin, le troisième mensonge mis en scène est celui, horrible, de Mme de Restaud, circonvenant[3] son propre fils qui vient de sortir de la chambre de son père mourant, pour lui extorquer la lettre que celui-ci lui a remise pour Derville.

Mensonge d'autant plus révoltant qu'il s'arme d'un éloge hypocrite de la sincérité : « Ne jamais mentir et rester fidèle à sa parole sont deux principes qu'il ne faut jamais oublier. » Contrastant violemment avec la scène pathétique des dernières volontés du père, cette scène est destinée à faire éclater la perversité de la comtesse, qui a guetté sans répit la mort de son mari et sa fortune.

[…] La gradation de ces trois mensonges permet à Balzac de montrer à l'œuvre la capacité d'analyse de Gobseck, avec laquelle peut seule rivaliser la finesse de Derville, homme supérieur, qui prend en 1835, quand Balzac donne le titre de *Gobseck* aux *Dangers de l'inconduite*, le nom de l'avoué du *Colonel Chabert*. L'homme de loi n'est-il pas, comme le prêtre et le médecin, celui qui sait faire avouer ; démêler la vérité et porter le deuil des vertus et des illusions ?

© Armand Colin.

1. Modèles.
2. Mot anglais qui désignait un jeune homme « à la mode ».
3. Cherchant à tromper par des propos détournés.

Texte 2 • Léo Mazet, « Récit dans le récit : l'échange du récit chez Balzac » (1976)

Derville doit-il quelque chose à Gobseck ? « Tout », dit cet article. Le mérite de ce texte est de montrer que, même si Derville paie Gobseck, il lui reste cependant redevable, au regard d'une certaine conception de l'échange, fondée sur l'idée de prestations réciproques que l'on ne peut plus interrompre.

De l'échangeur Gobseck, et de lui uniquement, Derville tient toutes choses : son récit, sa femme et sa fortune. La narration de l'usurier lui transmet d'abord ce double legs du pré-texte de sa propre narration, et sa femme. C'est le récit de Gobseck, on s'en souvient, qui stimule le désir de l'avoué et le mène littéralement à l'autel. « Lorsque vous êtes entré, je pensais que Fanny

Malvaut serait une bonne petite femme », suggère Gobseck. Grâce au prêt des cent cinquante mille francs consenti par ce dernier, l'avoué se trouve en mesure d'acheter l'étude de son patron. Une douzaine de prestations et contre-prestations dessine au total le cheminement de cet échange entre les deux personnages.

L'Année balzacienne, © PUF.

Texte 3 • Albert Béguin, *Balzac lu et relu* (1965)

Ce texte insiste sur la complicité entre Gobseck et Derville, au service des bonnes causes. On s'intéressera particulièrement à la fin de l'extrait, pour réfléchir à la « morale » du texte.

Gobseck n'est pas à proprement parler un avare, et s'il aime l'or, cet amour n'a rien de comparable à l'activité d'un Harpagon ou d'un père Grandet. Il n'a pas pour fin la possession, et la jouissance des biens matériels ne suffirait pas à le contenter. Tandis que l'avare cherche la sécurité et se livre à la lourde matière comme à un maître auquel l'asservissent ses appétits, Gobseck nourrit un tout autre rêve. On s'en aperçoit lorsqu'il restitue au jeune comte de Restaud une fortune que rien ne l'empêcherait de garder. Bien qu'il diffère cette restitution jusqu'au jour de sa mort, c'est un acte que jamais n'accomplirait un simple avare, car l'avarice ne connaît pas la mort. Si donc il use de sa puissance pour autre chose que son plaisir de possesseur d'or, nous le voyons s'en servir en redresseur de torts accouru au secours d'une victime innocente. Son vice, finalement, se fait le complice de l'honnêteté de Derville. Il faut qu'il y ait là un mystère.

© Éditions du Seuil.

Lecture transversale 3 — L'or, personnage central du roman ?

Retour au texte

1· Comment Gobseck réagit-il à la vue des diamants de la comtesse de Restaud (l. 1109 à 1144) ? Aidez-vous de vos réponses à la pause lecture 3, p. 96.

2· À quel animal Gobseck est-il comparé à la fin du récit (p. 79) ?

3· « Entêtement incompréhensible » (l. 2106) : pourquoi Derville utilise-t-il cette expression pour caractériser Gobseck à la fin de sa vie ?

4· Que découvre Derville dans le logement de Gobseck après sa mort ?

Interprétation

Nourriture ou pourriture ?

5· Relevez et commentez, dans l'ensemble de l'œuvre, les rapports de Gobseck avec la nourriture.

6· Répertoriez dans le texte les allusions de toute nature à la pourriture, la saleté, la boue. Que constatez-vous ? En quoi le texte écho 2 (p. 112) éclaire-t-il cette question ?

7· L'attitude de Gobseck à la fin de sa vie vous semble-t-elle conforme à son comportement antérieur ? Justifiez votre réponse en vous aidant du texte écho 1 (p. 111).

À quoi sert l'or ?

8· Pourquoi, selon vous, Gobseck ne profite-t-il pas de son argent pour améliorer son train de vie ?

9· Comment se comporte Gobseck à l'égard du jeune comte Ernest de Restaud et, plus globalement, à l'égard de la fortune des Restaud dont il a hérité ? Qu'en pensez-vous ?

10· Quelle valeur Gobseck accorde-t-il à l'or ? Quelle morale attache-t-il à son usage ?

Le cours de l'or est-il éternel ?

11· À l'heure de mourir, quelles sont les décisions de Gobseck face à sa fortune ? Étudiez-les à la lumière de ses propos antérieurs et interprétez-les. Appuyez-vous sur le texte écho 1 (p. 111).

12· Analysez les réactions de Mme de Grandlieu à la fin du texte. Est-elle prête à marier sa fille au jeune comte de Restaud ? À quelles conditions ? Pourquoi ?

13· Étudiez le comportement de Derville à la mort de Gobseck. En vous aidant de l'encadré (p. 82), vous direz ce que vous pensez du destin de son or.

Texte 1 • Léo Mazet, « Récit dans le récit : l'échange du récit chez Balzac » (1976)

À la fin de sa vie, Gobseck, affaibli, devient à son tour une menace pour la logique de l'échange en accaparant les richesses au lieu de les répartir. Derville, son héritier, « l'échangeur de rechange », prend alors le relais...

Derville, échangeur de rechange.

Pendant un moment, à la fin du récit, la mort de Gobseck menace l'échange dont la mécanique s'emballe et se détraque à l'approche de l'instant où il s'agit précisément de tout restituer : vie, biens et richesses. Ce qui n'est que reculer pour mieux sauter. L'échange cesse d'opérer dans les deux sens : l'usurier, devenu un « insatiable boa » se contente d'accumuler et d'engranger : « Tout rentrait chez lui, rien n'en sortait. »

L'usure cesse, en ce point d'extrême tension, et régresse au stade de l'avarice, comme par un dernier sursaut de protestation, un ultime recours aux fantasmes de la possession. Derville assiste médusé à un tel déboussolage qui se traduit par l'entassement chez l'usurier d'un bric à brac d'objets hétéroclites et de denrées pourrissantes, miroirs du chaos contagieux de la mort. [...]

À Derville échoit le soin de se ressaisir du flambeau de l'échange. [...]

Derville se lançant sur les traces de l'héritière de Gobseck réitère le geste de Gobseck lui-même, assurant au moment de la mort du comte de Restaud la succession de son fils Ernest. Non moins symétriquement la narration de l'avoué à Mme de Grandlieu doit avoir les mêmes effets que celle de Gobseck à Derville : de l'une comme de l'autre s'ensuivra un mariage. Dans le cas des de Restaud-Grandlieu comme dans celui des Derville-Malvaut, le don de Gobseck est double : il s'agit à la fois d'une femme (même si dans le premier cas le don se fait par narrateur-échangeur interposé) et d'un don d'argent (sauvegarde de la fortune Restaud ; le prêt à Derville est aussi un don : on rend toujours un don avec « usure »).

L'Année balzacienne, © PUF.

Texte 2 • *Contes du répertoire yiddish*

Ce conte yiddish raconte, sur le mode de l'humour, l'apparition de l'argent dans le monde. La relation qu'il établit symboliquement entre l'argent, la nourriture et la pourriture est de nature à éclairer la dernière partie du récit balzacien, lorsque Derville découvre l'antre de Gobseck...

Savez-vous comment l'argent est venu dans le monde ?

Il y a de cela bien longtemps, Adam a été chassé du Paradis. Sa descendance s'est ensuite répandue sur toute la surface de la terre. C'était au temps où les hommes étaient terrorisés par la mort. Ils ne pensaient qu'à cela ; ils ne profitaient pas de ce qu'ils mangeaient, ni de ce qu'ils buvaient ; l'ange de la mort les obsédait continuellement et planait sur l'ensemble de leurs activités.

Alors, forcément les hommes maigrissaient à mesure qu'ils vieillissaient et au moment fatidique de cette mort qui leur faisait si peur, ce n'était que de vulgaires sacs d'os que l'on enterrait. Et les vers qui se trouvaient sous terre ne pouvaient pas se nourrir correctement : il n'y avait là que de la peau coriace à mastiquer et quelques os à ronger. Alors, en colère, les vers finirent par envoyer une délégation auprès du Créateur afin de réclamer :

« Maître de l'Univers », dirent-ils, « lorsque tu nous as créés, tu nous avais promis que nous aurions de la viande tous les jours. Mais cela n'est pas le cas, les hommes meurent maigres comme des clous, et nous, nous ne pouvons nous satisfaire de ces os et de cette peau indigeste… Fais quelque chose ! ».

Dieu, après avoir vérifié dans le grand livre de Sa Création s'il avait effectivement fait une telle promesse (et c'était bien le cas !), leur répondit. « Vous avez raison, cette situation ne peut plus durer, il faut donc que je tienne conseil auprès de l'assemblée des anges ». Les anges firent de multiples propositions, mais Dieu les rejeta les unes après les autres. Enfin, il finit par en retenir une, qui le séduisit immédiatement : l'argent ! Et d'un geste généreux de la main, il envoya l'argent sur la terre.

À partir de ce moment précis les hommes se mirent à acheter pour cent et à revendre pour deux cents ; ils se passionnèrent pour les transactions et les bénéfices. Avec ces bénéfices, comme il fallait bien les employer, ils achetèrent des biens… et encore des biens. Ils se mirent à apprécier le luxe et le confort… Aussi, l'homme, oubliant la mort, mangea, but et… engraissa.

Depuis, chaque fois qu'un homme meurt, les vers font banquet… mais avant de toucher à la moindre nourriture, ils font une prière, cela afin de rendre grâce à Dieu de sa profonde miséricorde.

Contes rapportés et racontés par Moïse Fdida.
www.scarabee.com/ecrits/argent.html

▶ **Dossier central images en couleur**

Retour aux images

1 · Comment sont vêtus les personnages des images I, II et III ?

2 · Observez le personnage féminin (image III). Que faisait-il juste avant le moment choisi par le peintre ? Que pèse l'homme sur cette image ?

3 · Que fait le personnage du dessin IV ? Qu'exprime son attitude ?

Interprétation

Une figure caricaturale ?

4 · Comparez les usuriers des tableaux II et III. Que constatez-vous ?

5 · Le miroir présent dans le tableau de l'image III était appelé parfois « miroir des banquiers ». Quelles peuvent être ses fonctions, selon vous ?

6 · En quoi la représentation de Gobseck (image IV) correspond-elle à la description qui est faite du personnage dans la nouvelle ?

Gobseck, un usurier comme les autres ?

7 · Que traduit l'apparence vestimentaire des personnages des images I, II et III ? En quoi contraste-t-elle avec la mise du personnage du document IV ?

8 · Qu'exprime le regard des personnages des images I et II ? Notez-vous des différences entre les deux images ? En quoi peut-on les considérer comme des modèles proches de Gobseck ?

Et vous ?

Recherche

Recherchez d'autres illustrations sur le même sujet et comparez-les.

Analyse d'images

I *Volpone*, **film de Maurice Tourneur avec Charles Dullin, 1941.**

Volpone est une adaptation cinématographique d'une pièce du dramaturge anglais Ben Jonson (1605), dans laquelle le personnage éponyme, un riche Vénitien, feint d'être à l'article de la mort pour mieux duper son entourage qui cherche à accaparer son héritage. La photo représente un personnage d'usurier, joué par Charles Dullin, célèbre acteur et metteur en scène.

II *Le Peseur d'or*, **Gérard Dou, 1664.**

Connu de Balzac, qui en fait notamment l'un de ses modèles pour le portrait de l'antiquaire dans *La Peau de chagrin* (voir p. 94), ce tableau du XVIIe siècle fait partie des œuvres flamandes peintes dans l'entourage de Rembrandt, à Amsterdam. La prospérité des Pays-Bas est à cette époque fondée sur le commerce : le prêteur est une figure familière de cette société cosmopolite.

III *Le Prêteur et sa Femme*, **Quentin Metsys, 1514.**

Né à Anvers, comme Gobseck, Metsys assiste au plein développement de cette ville et de sa prospérité économique. Ce tableau constitue une critique des mœurs de son temps. Ami de l'humaniste Érasme, Metsys souhaitait stigmatiser l'oubli des valeurs spirituelles au profit de l'attrait de l'or.

IV *Gobseck*, **dessin pour l'édition Furne de *La Comédie humaine*, 1842.**

Cette illustration appartient à une édition du XIXe siècle de *La Comédie humaine*. Elle saisit le personnage alors qu'il examine des diamants, allusion à l'épisode où l'usurier contemple les bijoux de Mme de Restaud (p. 51). On pourra à loisir confronter cette image à l'idée personnelle que l'on peut se faire du personnage, après lecture de l'œuvre.

Gobseck n'est pas l'œuvre la plus connue ni la plus commentée de *La Comédie humaine*. Éclipsée par les grandes œuvres romanesques, elle semble faire partie de ces textes que le génie prolifique de Balzac a produits comme sans y penser. La première version est rédigée en 1830. À cette époque, Balzac, qui a intitulé son roman *Les Dangers de l'inconduite*, fait de la comtesse l'héroïne scandaleuse et exemplaire de ses théories sur le mariage et l'adultère au féminin qu'il a déjà exposées dans *La Physiologie du mariage*. Le personnage de Gobseck occupe une place secondaire. C'est dans la version remaniée et enrichie de 1835 qu'il devient le personnage principal. Entre-temps, en 1834, Balzac a mis en place le principe du retour des personnages qui constitue l'une des clés de *La Comédie humaine*. Il a aussi écrit *Le Père Goriot*. L'étroite relation qu'il établit entre les deux œuvres, en faisant notamment de la comtesse l'une des deux filles de Goriot, suggère que *Gobseck* pourrait bien être l'une des premières esquisses de l'immense fresque balzacienne.

Les critiques qui éditent les œuvres complètes de Balzac attachent de ce fait une importance particulière à ce texte, parce que chacun, dans son optique propre, y découvre une des sources de l'œuvre, un témoignage du moment où Balzac, cessant de chercher sa voie dans des formes antérieures plus ou moins usées, invente son propre monde. *Gobseck* serait l'un des premiers textes balzaciens de Balzac, un creuset, une matrice ou une « cellule-mère ».

1 · Quelle fonction occupe *Gobseck* dans *La Comédie humaine* selon le texte 1 (p. 117) ? Pourquoi sa lecture paraît-elle indispensable à l'auteur pour la compréhension de l'œuvre de Balzac ?

2 · Quels aspects de l'œuvre balzacienne apparaissent plus spécifiquement dans *Gobseck* selon le texte 2 (p. 118) ? Comparez la fin de *Gobseck* à celle des *Dangers de l'inconduite*, première version de l'œuvre (texte 3, p. 119).

3 · En quoi le texte 4 (p. 121) illustre-t-il le principe du retour des personnages dans *La Comédie humaine*, dont *Gobseck* est l'une des œuvres clés?

4 · À la lumière de ces textes et en vous référant à votre lecture de *Gobseck*, vous tenterez de définir quelques grands traits caractéristiques du monde balzacien.

Texte 1 • Albert Béguin, *Balzac lu et relu* (1965)

En présentant Gobseck *comme un microcosme de* La Comédie humaine, *l'auteur souligne le caractère fondateur de ce texte, véritable esquisse d'un monde à venir et des principaux thèmes et situations qui vont se décliner en autant d'œuvres particulières plus approfondies.*

Voici l'une des pièces maîtresses de *La Comédie humaine*, non seulement l'un des chefs-d'œuvre incontestables de Balzac romancier, mais un centre, un foyer, un de ces rubis sur lesquels, dans une horlogerie complexe, tournent les rouages les plus délicats. Qui n'a pas lu Gobseck, il lui manquera toujours l'une des références essentielles dont on a besoin pour situer tous les personnages de l'immense roman balzacien : pour saisir les véritables liens qui mettent en correspondance la vie profonde de l'auteur et la vie de son univers imaginé.

Gobseck est d'abord un microcosme à peu près complet où se reflètent en abrégé toutes les données qui composent le macrocosme total de la création balzacienne. Presque rien n'y manque. Les Grandlieu figurent l'aristocratique faubourg, et les Restaud, de plus petite noblesse, touchent à la bourgeoisie par leur alliance avec les Goriot. Si les uns sont restés dans l'ordre de leur morale de classe, soucieux de ménager à leur fille une dot convenable et l'envoyant à sa chambre quand la conversation n'est plus faite pour ses oreilles virginales, les autres sont livrés au chaos des passions déchaînées. La comtesse de Restaud, qui ne s'est point amendée depuis le temps où elle insultait à la douloureuse paternité de Goriot, prépare à son mari une épouvantable agonie et à son fils une vie atroce. Derville, l'homme de loi intègre, c'est la vertu bourgeoise, non point médiocre et prudente, mais généreuse, délicate, humaine. On entrevoit Fanny Malvaut, modeste et pure dans la pauvreté, qui grâce à Gobseck deviendra Mme Derville ; c'est le côté des anges. Survient aussi Maxime de Trailles, le cynique, le méchant garçon – côté des démons. Mais tous ces personnages, et le drame où chacun d'eux est engagé, sont contraints à se déclarer pour ce qu'ils sont par le grand ferment catalyseur : par l'Argent. L'argent fait et défait les familles, les amours, les bonheurs, les infortunes. Les passions les plus étrangères à l'avidité matérielle sont encore aiguisées, poussées à l'extrême, ou tournées à la dégradation par l'omniprésent métal qui élève toutes choses à la puissance supérieure avant de les précipiter au gouffre des irrémédiables corruptions.

© Éditions du Seuil.

Texte 2 • Pierre Barbéris, *Le Monde de Balzac* (1973)

Le critique Pierre Barbéris montre comment la genèse même de Gobseck *reflète l'évolution de Balzac, d'une approche encore symbolique du roman à une conception plus objective. Il met notamment en évidence les potentialités narratives de cette histoire, qui est à la source de nombreux autres récits de* La Comédie humaine.

Dans les *Dangers*, on a d'abord la conversation dans le salon Grandlieu, qui est le fait du romancier, puis l'entrée en scène de Derville, puis un retour en arrière (qui est encore le fait du romancier) destiné à nous expliquer la présence de Derville chez ces grands seigneurs et la liberté de langage qui lui est reconnue ; ensuite, c'est la présentation de Gobseck, l'histoire Restaud-Trailles, enfin la conclusion tirée par la duchesse : « Eh bien ! dit la vicomtesse, nous ferons nommer Gobseck baron, et nous verrons !... » Le récit s'ouvrait, finalement, sur autre chose que sur l'histoire de Derville : sur le mariage de Camille, sur quelque chose qui existe ou qui existera en dehors de Derville. Ici apparaît le premier de ces blancs qui, en dehors de ce qui est rapporté, constituent souvent ce qu'il y a de plus présent dans le romanesque balzacien. [...]

Si Balzac en effet développe, dans *Le Papa Gobseck*, tout l'aspect prophétique et fantastique du personnage de l'usurier, il développe aussi les données proprement romanesques, objectives, du récit primitif. Un exemple est particulièrement probant : dans les dernières lignes, les paroles de la vicomtesse deviennent : « Eh bien, cher monsieur Derville, [...] nous y penserons [...] Monsieur Ernest doit être bien riche pour faire accepter sa mère [...] d'ailleurs Camille pourra ne pas voir sa belle-mère. » À quoi le « vieil oncle » fait remarquer : « Madame de Beauséant[1] [la] recevait. – Oh ! dans ses raouts ! répliqua la vicomtesse. » Et voici une ouverture d'une autre importance : le personnage de Mme de Beauséant, les rivalités mondaines, les conflits à venir dans le ménage de Camille, etc. *La Comédie humaine* est là, déjà, qui happe vers le roman le récit primitif. Si l'on songe, par ailleurs, à l'utilisation qu'a pu faire Balzac de sa première œuvre dans ses autres romans (Gobseck et les Restaud dans *Le Père Goriot*, Derville, un peu partout), on est amené à conclure à une incontestable fertilité romanesque de ces *Dangers de l'inconduite*, l'une des cellules mères de *La Comédie humaine*.

© Éditions Arthaud.

1. Femme de haute noblesse, cousine d'Eugène de Rastignac, personnage clé du *Père Goriot* et d'autres romans balzaciens.

Texte 3 • Balzac, *Les Dangers de l'inconduite* (1832)

Voici un extrait de la première version de Gobseck, *dans laquelle ce dernier occupe un rôle moins important que dans la version finale.*

Depuis ce temps-là, nous nous sommes peu vus. Le père Gobseck habite l'hôtel du comte, il va passer les étés dans les terres, fait le seigneur, construit les fermes, répare les moulins, les chemins, et plante des arbres. Il a renoncé à son métier d'usurier, et il a été nommé député. Il veut être nommé baron, et désire la croix. Il ne va plus qu'en voiture.

Un jour je le rencontrai aux Tuileries.

– La comtesse mène une vie héroïque, lui dis-je ; elle s'est consacrée à l'éducation de ses enfants ; elle les a parfaitement élevés. L'aîné est un charmant sujet...

– Ah ! ah ! dit-il, la pauvre femme s'en est donc tirée ?... J'en suis bien aise. – Il jura. – Elle était belle !

– Mais, repris-je, ne devriez-vous pas aider... ?

– Aider Ernest !... s'écria Gobseck. Non, non, il faut qu'il s'épure et se forme dans l'infortune... Le malheur est notre plus grand maître. Il manquera toujours quelque chose à la bonté de celui qui n'a pas connu la peine...

Je le quittai désespéré.

Enfin il y a huit jours, je l'ai été voir ; je l'ai instruit de l'amour d'Ernest pour mademoiselle Camille, en le pressant d'accomplir son mandat, puisque le jeune comte est majeur...

Il me demanda quinze jours pour me donner une réponse. Hier, il m'a dit que cette alliance lui convenait, et que le jour où elle aurait lieu il constituerait à Ernest un majorat de cent mille livres de rente... Mais que de choses j'ai apprises sur Gobseck !... C'est un homme qui s'était amusé à faire la vertu, comme il faisait jadis l'usure, avec une perspicacité, un tact, une sécurité de jugement inimaginables. Il méprise les hommes parce qu'il lit dans leurs âmes comme dans un livre, et se plaît à leur verser le bien et le mal tour à tour. C'est un dieu, c'est un démon mais plus souvent démon que dieu.

Autrefois, je voyais en lui le pouvoir de l'or personnifié... Eh bien, maintenant, il est pour moi comme une image fantastique du DESTIN.

– Pourquoi vous êtes-vous donc tant intéressé à moi et à Ernest ? lui dis-je hier.

– Parce que vous et son père êtes les seuls hommes qui se soient jamais fiés à moi.

— Eh bien, dit la vicomtesse, nous ferons nommer Gobseck baron, et nous verrons !…

— C'est tout vu ! s'écria le vieux marquis en interrompant sa sœur pour faire croire qu'il n'avait pas dormi, et qu'il était au fait de l'histoire. C'est tout vu !…

Texte 4 • Balzac, *Le Père Goriot* (1834)

Dans cet extrait, où Derville est mentionné, Mme de Nucingen, fille du père Goriot et sœur de Mme de Restaud, évoque l'intervention de ce dernier dans ses démêlés conjugaux : son mari menace de la déposséder de sa fortune.

— Tu viens, répondit le vieillard[1], de me donner un coup de hache sur la tête. Dieu te pardonne, mon enfant ! Tu ne sais pas combien je t'aime ; si tu l'avais su, tu ne m'aurais pas dit brusquement de semblables choses, surtout si rien n'est désespéré. Qu'est-il donc arrivé de si pressant pour que tu sois venue me chercher ici quand dans quelques instants nous allions être rue d'Artois[2] ?

— Eh ! mon père, est-on maître de son premier mouvement dans une catastrophe ? Je suis folle ! Votre avoué[3] nous a fait découvrir un peu plus tôt le malheur qui sans doute éclatera plus tard. Votre vieille expérience commerciale va nous devenir nécessaire, et je suis accourue vous chercher comme on s'accroche à une branche quand on se noie. Lorsque monsieur Derville a vu Nucingen lui opposer mille chicanes, il l'a menacé d'un procès en lui disant que l'autorisation du président du tribunal serait promptement obtenue. Nucingen est venu ce matin chez moi pour me demander si je voulais sa ruine et la mienne. Je lui ai répondu que je ne me connaissais à rien de tout cela, que j'avais une fortune, que je devais être en possession de ma fortune, et que tout ce qui avait rapport à ce démêlé regardait mon avoué, que j'étais de la dernière ignorance et dans l'impossibilité de ne rien entendre à ce sujet. N'était-ce pas ce que vous m'aviez recommandé de dire ?

– Bien, répondit le père Goriot.

Chapitre IV.

1. Le père Goriot.
2. Au domicile de Mme de Nucingen.
3. Derville.

La pension Vauquer, illustration pour *Le Père Goriot*, XIXe siècle.

Muhammad Yunus a reçu en octobre 2006 le prix Nobel de la paix. Cet économiste du Bangladesh a bouleversé les habitudes du monde financier en inventant le microcrédit. Celui-ci consiste à prêter de petites sommes à des personnes trop pauvres pour emprunter auprès des banques, afin qu'elles puissent lancer une activité économique viable, aussi modeste soit-elle. Expérimentée avec succès dans le pays d'origine de M. Yunus, cette pratique a gagné la planète entière, et a bénéficié de la consécration du prix Nobel, malgré les réticences qu'elle suscite.

Considéré par les uns comme un bienfaiteur, le « banquier des pauvres », il est accusé par d'autres d'être en fait un usurier moderne qui exploite la pauvreté. S'il ne vit pas de la prodigalité des riches et de l'imprudence des comtesses, il parie, comme Gobseck quand il prête à Derville, sur la volonté de l'emprunteur d'entreprendre pour réussir. À l'assistanat et l'aumône, M. Yunus préfère le prêt qui laisse quitte le débiteur. Il pourrait reprendre à son compte la formule que le vieil usurier adresse à Derville lorsque celui-ci a fini de le rembourser : « Je t'ai dispensé de la reconnaissance en te donnant le droit de croire que tu ne me devais rien. »

1· En quoi consiste l'idée originale de M. Yunus ? Quelles en sont les motivations ? Pourquoi a-t-elle suscité le scepticisme à l'origine ? Vous vous appuierez sur les textes 1 et 2 (p. 124 et 126) pour répondre.

2· Selon les textes 1, 2 et 3 (p. 124, 126 et 128), en quoi Yunus se distingue-t-il d'un banquier traditionnel ?

3· Quels sont les principaux facteurs qui expliquent son succès (appuyez-vous sur les textes 1, 2 et 3, p. 124, 126 et 128) ?

4· Quelles critiques lui sont adressées dans les textes 4 et 5 (p. 130 et 131) ?

5· À la lumière de l'ensemble du dossier (p. 124 à 132), de quel pouvoir dispose selon vous M. Yunus ? Peut-on dire qu'il perpétue celui du personnage de Balzac ?

Texte 1 • Muhammad Yunus, « Transgresser les préjugés économiques » (1997)

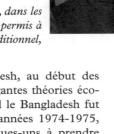

Muhammad Yunus indique dans cet article les circonstances initiales qui l'ont conduit à inventer la notion de microcrédit et relate ses premiers succès.

En accordant des prêts modiques, généralement aux femmes, dans les quelque 37 000 localités du Bangladesh, la Banque Grameen a permis à un grand nombre de démunis, exclus du système bancaire traditionnel, de reconquérir leur dignité et de sortir de la pauvreté.

Professeur à l'université de Chittagong, au Bangladesh, au début des années 70, j'enseignais alors, comme bien d'autres, d'élégantes théories économiques, sans trop me poser de questions. Mais, quand le Bangladesh fut frappé de plein fouet par une terrible famine, dans les années 1974-1975, mon enthousiasme se mit à vaciller. Nous fûmes quelques-uns à prendre conscience du gouffre entre la condition de vie de gens tenaillés par la faim et le caractère abstrait de l'univers économique dont nous parlions.

En réalité, nous ne savions rien des difficultés rencontrées au quotidien par les plus démunis. Chittagong se situant dans une zone rurale, il ne fut pas difficile d'entrer en contact avec les familles d'un village tout proche, Jobra. On pouvait tout apprendre, simplement en les regardant vivre. Nous découvrîmes avec stupeur que tous ces gens étaient pris dans un cercle vicieux infernal, uniquement parce qu'ils ne disposaient pas d'un fonds de roulement minimum. Il aurait suffi à chacun d'eux de 1 dollar – et un seul – pour pouvoir s'en sortir. Mais, pour obtenir ce dollar et enrayer le processus d'aliénation dont il était victime, le demandeur devait se soumettre à une série de conditions plus injustes les unes que les autres, à commencer par la vente de ses produits à un usurier (lequel fixait ses tarifs de façon totalement arbitraire et bien en dessous du marché, cela va de soi).

Tout cela était intolérable…

Je décidai alors de prêter de ma poche aux villageois l'argent dont ils avaient besoin, tout en sachant qu'il me faudrait trouver rapidement d'autres solutions. Interrogées, les banques répondirent les unes après les autres que les pauvres n'offraient pas de garantie financière. J'eus beau discuter, et leur rétorquer : « Qu'en savez-vous ? Vous ne leur avez jamais prêté ! », rien n'y fit. En dernier recours, je proposai de me porter garant des emprunts effectués, ce qui fut fait. À partir de 1976, les pauvres de Jobra commencèrent à rembourser leurs emprunts sans problème.

Ce premier résultat constitua bien sûr un immense encouragement. Pourtant, les banquiers nous avertirent que si nous comptions étendre l'opération, cela ne marcherait pas. Nous tentâmes cependant l'expérience dans cinq villages, et avec succès. Les banques affirmèrent alors que nous échouerions dans notre entreprise si nous passions à un stade plus vaste, celui des districts. Nous le fîmes malgré tout, et là encore, cela réussit. Notre méthode avait beau se répandre, les banquiers s'entêtaient dans leur refus. Puisque nous ne pouvions pas les changer, eux et leurs préjugés à l'égard des plus démunis, il nous restait la possibilité de créer une banque spécialement pour les pauvres. C'est ainsi que naquit la Banque Grameen (du mot *gram* qui signifie « village ») en 1983.

Aujourd'hui, Grameen fonctionne dans 37 000 localités du Bangladesh (soit plus de la moitié des villages de ce pays).

© *Le Monde diplomatique*, décembre 1997.

Texte 2 • « Muhammad Yunus, un Nobel "prêteur d'espoir" » (2006)

Cet article, publié au lendemain de l'attribution du prix Nobel de la paix à Muhammad Yunus, rappelle brièvement la carrière de l'homme d'affaires, ses motivations et les raisons du choix du jury.

Le Bangladais Muhammad Yunus a obtenu, vendredi 13 octobre, le prix Nobel de la paix pour avoir créé la Grameen Bank, une banque pour les pauvres et détenue par eux. Fondée il y a trente ans au Bangladesh – l'un des pays les plus pauvres de la planète – pour offrir des microcrédits aux exclus du système bancaire, cette institution y a déjà permis la réinsertion sociale de plusieurs millions de personnes.

Son modèle, efficace et rentable, a été copié partout dans le monde, jusque dans les pays développés où les banques commerciales classiques rechignent à servir les plus démunis, malgré les pressions des pouvoirs publics et de l'opinion.

Pour justifier son choix, le comité suédois du Nobel a estimé qu'« une paix durable ne pouvait être obtenue sans qu'une partie importante de la population trouve les moyens de sortir de la pauvreté ». « M. Yunus et la Grameen Bank (6 millions de clients, dont une majorité de femmes, pour 1861 agences, 17 400 employés et 5,7 milliards de dollars de prêts distribués, soit 1 % du PIB du pays) ont démontré que même les plus démunis peuvent œuvrer en faveur de leur propre développement », indique un membre.

Depuis trente ans qu'il se bat pour faire reconnaître l'accès au crédit comme un droit fondamental de la personne, Muhammad Yunus, 66 ans, peut savourer sa victoire.

Au *Monde*, qui l'a rencontré fin septembre, celui qui se voit moins en « banquier des pauvres » qu'en « prêteur d'espoir » – et pour qui l'ex-président des États-Unis Bill Clinton avait réclamé un prix Nobel d'économie en 1997 –

avait confié son « rêve » de voir la pauvreté sinon éradiquée du moins jugulée en 2015, grâce au développement du microcrédit dans le monde.

Pour M. Yunus, en effet, il est possible d'apporter des réponses simples à des problèmes compliqués. Cette conviction lui vient à 30 ans, lorsqu'il rentre des États-Unis, où il a fait ses études, pour enseigner l'économie à la faculté de Chittagong : « C'étaient les débuts de l'indépendance. Une terrible famine frappait le pays, et j'ai été saisi d'un vertige, voyant que toutes les théories que j'enseignais n'empêchaient pas les gens de mourir autour de moi », se souvient-il. Il décide alors d'agir, en distribuant des petits prêts à des personnes démunies de son entourage.

Malgré les mises en garde, il commence par prêter de l'argent de sa poche, puis négocie des prêts garantis par lui auprès d'une banque locale et, enfin, obtient de l'argent de la Banque centrale. Les emprunteurs montent de petits commerces et remboursent leurs dettes. C'est la naissance d'une véritable banque, en 1976, qui se verra adjoindre plus tard toute une série de filiales – téléphonie mobile, accès à Internet, panneaux solaires, etc.

Le charismatique professeur d'économie est satisfait. Il a démontré que, « pour créer de la richesse, il faut donner accès au capital »… Un concept économique de portée universelle, enseigné en première année d'économie. Surtout, M. Yunus a fait tomber bon nombre d'idées reçues répandues chez les banquiers : « Les pauvres ne sont pas responsables de leur pauvreté. Ils ne sont ni des incapables ni des fainéants, mais des victimes. C'est la société qui les a faits pauvres », s'emporte-t-il. « Il faut donner à chacun la possibilité de devenir entrepreneur », ajoute-t-il.

Anne Michel, © *Le Monde*, octobre 2006.

Texte 3 • « Le Nobel conquis par le microcrédit » (2006)

Tout en saluant le choix du jury Nobel, et en rappelant la réussite du microcrédit, l'auteur de cet article en souligne les limites et relève quelques risques de récupération par des organismes aux intentions moins généreuses que celles du fondateur de la Grameen Bank.

Faire de l'économie autrement est donc une manière de promouvoir la paix différemment. Muhammad Yunus aurait pu (dû ?) être nobélisé en économie : le voilà couronné pour œuvre de pacification. Autour d'un thème clé du XXIe siècle : le développement. L'académie suédoise a le mérite du contre-pied : à l'heure où les inégalités entre pays et à l'intérieur des pays explosent, elle consacre conjointement Yunus, le « prophète » du microcrédit, et sa création : la Grameen Bank. « Une paix durable ne peut pas être obtenue sans qu'une partie importante de la population trouve les moyens de sortir de la pauvreté », justifie le comité Nobel suédois.

En ces temps de glorification de l'économie casino, des parachutes (dorés) et des salaires (démesurés) des patrons, et du triomphe d'une mondialisation libérale, voilà un prix symbolique.

« **Arme utile** ». Sur un point au moins : la reconnaissance que, sans développement réel, nulle paix n'est possible. « Et nul mur, aussi haut soit-il, entre le Mexique et les États-Unis, l'Europe et l'Afrique, ne résoudra rien, si ce n'est par l'absurde », lâche un haut responsable du Programme des Nations unies pour le développement.

On s'emballe ? « Non, on touche au cœur du sujet, répond Maria Nowak, promoteur du microcrédit en France et qui connaît Yunus depuis les années 80. La pauvreté et l'exclusion sont le terreau des guerres, des terrorismes et de l'immigration massive. Et les microcrédits sont une arme utile […] »

Martha Stein-Sochas, directrice de la division banques et marchés financiers de l'Agence française de développement, ne dit pas autre chose : « Seule une croissance économique équitable peut stabiliser et pacifier les pays. Et la microfinance (épargne, crédit, etc.) joue un rôle inclusif essentiel. » Parce qu'elle jette les bases de prêts potentiellement étendus à 3 milliards de personnes vivant sous le seuil de pauvreté (2 dollars par jour) et autant d'exclus du système bancaire ? Non, rétorque un expert, parce que, « se prendre en main, ça change aussi de l'infantilisation » des programmes de développement dessinés dans les bureaux des institutions internationales. « Le Nobel vient saluer une des rares expériences de développement, avec la démocratie participative, qui vient du Sud », ajoute, radieux, Bernard Pinaud, du Crid, un réseau de solidarité français. Belle idée, à condition d'en reconnaître les limites : incapables de rembourser, des clients acceptent des crédits relais auprès d'autres institutions ; d'autres se servent uniquement du cash pour payer les dépenses de consommation. Ou de survie, « ça sert au capital humain », répond un microfinancier…

Récupération. « Éliminer la pauvreté dans le monde, reconnaît le comité Nobel suédois, [...] ne peut être concrétisé avec comme seul outil le microcrédit. » Le microcrédit ou, plus largement, la microfinance, ne sont pas l'alpha et l'oméga pour sortir du mal-développement. « Cela ne remplace pas la démocratie, les infrastructures et les échanges commerciaux régionaux », concède Jacques Attali, président de Planet Finance. Après avoir suscité la défiance, la méfiance des banques, le microcrédit est aujourd'hui récupéré par ces mêmes banques. Microcrédit, microcrédibilité ? Non, un levier parmi d'autres pour bouger les choses. Les altermondialistes l'ont compris. Absents lors des premiers forums sociaux mondiaux (2001, Porto Alegre), les tenants de l'économie solidaire dont les microfinanciers ont désormais droit à autre chose que les strapontins. Preuve, peut-être, qu'il n'y a pas de voie unique pour changer les faces du monde.

Christian Losson, © *Libération*, octobre 2006.

Texte 4 • « Microcrédit : une alternative à double tranchant » (2005)

Le titre même de l'article souligne les ambiguïtés économiques et sociales que son auteur décèle dans l'entreprise de M. Yunus, ainsi que les dangers qui pourraient résulter de son succès planétaire et des détournements qui guettent le microcrédit.

En 1974, un professeur d'économie à l'université de Chittagong (Bangladesh), Muhammad Yunus, constate que quelques dollars de plus peuvent enrayer le cercle vicieux de la misère. Grâce à un prêt de moins de 30 dollars à des paysannes vivant en dessous du seuil de pauvreté, 42 familles parviennent à élever de manière sensible leur niveau de vie et à échapper à la coupe des usuriers.

Deux ans après, les crédits sont intégralement remboursés. Fort de cette expérience, Mohammad Yunus fonde en 1983 la Grameen Bank, une banque spécialisée dans des petits prêts aux pauvres en milieu rural. Le succès ne se fait pas attendre : en 2000, elle couvrait 60 des 64 districts du pays et comptait 1 150 agences pour près de trois millions de clients répartis dans 39 706 villages.

Aujourd'hui on compte plus de 60 millions de personnes faisant appel au microcrédit dans le monde. [...]

Mais ce succès n'a pas tardé à voir se dresser une contrepartie moins reluisante. Le microcrédit intéresse en effet de plus en plus les banques commerciales, qui découvrent un marché immense : à travers le monde, 3 milliards de personnes n'ont pas accès à des services financiers de base, et près de 1 milliard de personnes n'ont pas accès au crédit. [...]

Avec le soutien inconditionnel d'institutions internationales, comme celui apporté par la Banque mondiale, le risque existe de transformer cette alternative économique, fondée avant tout sur le principe de solidarité, en un nouveau fruit juteux pour entretenir la bonne santé boursière des groupes bancaires. En 1974, lorsque Muhammad Yunus a créé la Grameen Bank, le but premier était de sortir la population pauvre du monopole des usuriers. Seuls à prendre le risque de leur prêter de l'argent, nombre de ces derniers en profitaient pour pratiquer des taux d'intérêt très élevés, précipitant ainsi les emprunteurs dans un cercle d'endettement. Or, avec l'entrée en lice d'intérêts plus privés qu'altruistes et afin de minimiser les risques financiers, certaines organisations pratiquent désormais des taux d'intérêt de l'ordre de 30 % à 60 %. [...]

« Le microcrédit, moyen efficace mais non exclusif de lutte contre la grande pauvreté, apparaît comme un thème particulièrement porteur dans l'entreprise de marketing qui consiste à réconcilier, aux yeux de l'opinion, la poursuite égoïste et implacable des intérêts privés avec les objectifs nobles de l'éradication de la misère, a analysé dans le *Monde diplomatique* Jean-Loup Motchane, professeur émérite à l'université Paris-VII. Mais tenter de faire croire à l'existence d'une convergence d'intérêts entre les pauvres et Wall Street, c'est se livrer à une impossible et dérisoire opération de propagande. »

Christelle Chabaud, © *L'Humanité*, avril 2005.

Texte 5 • Wikipedia, « Microcrédit » (janvier 2007)

Cet extrait de l'encyclopédie en ligne, Wikipedia, recense quelques-unes des critiques habituellement adressées au microcrédit et leur apporte quelques éléments de réponse.

Les adversaires du microcrédit lui opposent souvent les taux élevés de certains prêts (environ 20 %). Ils regrettent aussi que ce mécanisme détourne les actions des autres programmes comme la santé, l'éducation ou l'eau. Une étude réalisée en 2004 estime que le microcrédit favorise des activités peu rentables et devrait s'accompagner de programmes sociaux. Certains acteurs du microcrédit dénoncent des organisations non gouvernementales qui utiliseraient le microcrédit comme source de financement.

Réponse à cette critique : les actifs qui font appel au microcrédit n'ont pas d'autre accès au crédit. En général, leurs seuls recours sont les usuriers qui appliquent des taux approchant les 1 % par jour ! Avec des taux compris en général entre 10 et 30 % par an, les organismes de microcrédit offrent un accès à des crédits maîtrisables aux entrepreneurs actifs des pays en voie de développement. Dans les institutions bien gérées, les taux de remboursement de ces crédits avoisinent 95 %, preuve que les taux ne sont pas du tout insurmontables. Les taux élevés sont attribuables selon les cas aux coûts de la main-d'œuvre importante (nécessaire pour la sélection et le suivi de clients vivant dans des zones parfois éloignées) et par le coût de refinancement des institutions, renforcés par des taux d'inflation importants. Enfin, les besoins en matériel informatique et autres biens (matériel de bureau, véhicules), souvent importés, gonflent les coûts de fonctionnement. Les prêts consentis sont assortis d'un accompagnement psychologique, social et technique dont les frais sont comptabilisés dans la rubrique du fonctionnement.

D'autre part, les actions de microcrédit ne détournent pas les autres programmes humanitaires qui répondent à des actions d'urgence ou de développement sous forme de dons. Les actions de microcrédit sont financées par l'épargne solidaire et ne « concurrencent » donc pas directement les autres types d'actions de développement durable. Il est souvent plus souhaitable de ne pas lier du microcrédit à d'autres mécanismes d'aides au développement, les deux outils étant davantage complémentaires que des substituts.

Ce qui est sûr, c'est que le microcrédit améliore la situation des plus pauvres, mais n'élimine pas les besoins en matière sociale et d'infrastructures collectives. Toutefois, la mesure de l'impact demeure très difficile à effectuer.

Jean-Daniel Verhaeghe
réalisateur

Jean Daniel Verhaeghe a réalisé de nombreuses adaptations littéraires pour la télévision et le cinéma, et en particulier des romans de Balzac : *Le Père Goriot, Eugénie Grandet, La Duchesse de Langeais* et *L'Interdiction*.

▶ *Vous avez adapté pour la télévision plusieurs œuvres de Balzac, notamment « Eugénie Grandet » et « Le Père Goriot ». Quelles sont les raisons de cet intérêt ?*

Avant tout les personnages, les caractères à la psychologie si riche et « jusqu'au-boutiste ». Goriot meurt, Eugénie se résigne, la duchesse de Langeais entre au couvent et se retire du monde – comme la comtesse de Beauséant dans *Le Père Goriot*, qui « part s'ensevelir en Normandie ».

Ce qui est fascinant chez Honoré de Balzac, c'est son analyse de « l'âme humaine » (et quel bonheur pour les comédiens, scénaristes et réalisateurs !). Ce qui est stupéfiant, c'est son coté visionnaire : comment un jeune homme de trente ans, sans enfant, peut-il écrire *Le Père Goriot*, roman sur l'amour filial entre un homme de soixante-dix ans et ses deux filles ? Comment, si jeune, a-t-il si bien décrit le désespoir amoureux de ce vieil homme ? Souvenons-nous de lui sur son lit de mort :

« ne mariez pas vos filles si vous les aimez », et plus tard : « ne plus la voir, voilà l'agonie », et encore : « j'avais trop d'amour pour elles pour qu'elles en eussent pour moi ».

Mon intérêt repose avant tout sur les personnages parce que, chez Balzac, ce sont toujours les personnages, leur caractère, leur détermination qui créent les situations dramatiques et jamais l'inverse. Ce sont toujours les personnages – l'on pourrait dire les héros : Goriot, Rastignac, Vautrin, Grandet, Gobseck... – qui font évoluer l'histoire tissée autour d'eux et jamais l'inverse. N'est-ce pas l'une des définitions d'un bon scénario ?

▶ **Dans votre adaptation du « Père Goriot », quelle image avez-vous cherché à donner des filles du père Goriot et en particulier de Madame de Restaud ?**

Dans notre adaptation, nous avons centré le film sur Goriot. Les autres personnages « gravitent » autour de lui. Nous n'avons pas eu le temps de développer véritablement d'autres histoires satellites. Nous avons suivi au plus près le « chemin de croix » de Goriot, son amour bafoué pour ses filles, jusqu'à sa mort.

Tous les personnages tournent autour de lui et sont les juges ou les confidents de sa douleur.

Anastasie de Restaud et Delphine de Nucingen sont « l'huile sur le feu », la cause du malheur de Goriot par leur échec dans leur vie affective et par leur demande incessante d'argent, qui conduisent le vieil homme à vendre ses boucles de chaussure. Le personnage de Madame de Restaud est en tout point conforme dans *Gobseck* et dans *Le Père Goriot* : elle court après ce qu'elle croit être son bonheur.

Permettez-moi de vous raconter une « petite histoire » en aparté. Trois ans auparavant, avec Jean-Claude Carrière[1], nous fîmes pour la télévision l'adaptation du roman de Louise de Vilmorin *Madame de...* avec Carole Bouquet et Jean-Pierre Marielle. L'histoire tourne autour d'une paire de boucles d'oreille en diamants vendue par Madame de... à un bijoutier et sans cesse rachetée par son mari.

Nous trouvons le principe de cette histoire en deux lignes dans *Le Père Goriot*, et dans *Gobseck* on peut lire : « Monsieur, existe-t-il un moyen d'obtenir le prix des diamants que voici, mais en me réservant le droit de les racheter, dit-elle d'une voix tremblante en lui tendant l'écrin. » C'est le mari qui rachètera le bijou, comme dans *Madame de...* Est-ce de cette phrase que partit Louise de Vilmorin pour son roman ?

▶ *On a souvent rapproché Vautrin[2] et Gobseck, en raison de leurs jugements sur la société de leur époque. Qu'en pensez-vous ? Quelle interprétation avez-vous donnée de Vautrin ?*

Par rapport aux autres personnages de Balzac qui sont très souvent sédentaires (ils restent dans une ville, à Paris ou en province), Vautrin et Gobseck, sont des aventuriers et ont parcouru le monde (Gobseck est même allé en Inde). Ils ont tous les deux un regard amusé sur ce monde qui s'agite autour d'eux et dont ils ont vite compris toutes les faiblesses. Ils connaissent la valeur de l'argent et sa puissance.

Il ne faut pas oublier que Vautrin se cache de la justice dans la pension Vauquer. Il apparaît ou veut apparaître comme un « maître à penser » pour Rastignac, il essaie de diriger sa vie et va ainsi s'opposer à Goriot. Vautrin ira même jusqu'à commettre un meurtre afin que Rastignac, en épousant Victorine Taillefer, soit à la tête d'une petite fortune. Vautrin, c'est l'aventure policière dans le roman de mœurs.

▶ *Vous avez aussi adapté « Eugénie Grandet ». Le père Grandet est un avare, Gobseck un usurier. Pensez-vous qu'ils se ressemblent ?*

Grandet, comme Gobseck, est fasciné par l'argent, mais ils n'est pas avare dans le sens où Harpagon est avare. Harpagon garde sa cassette mais ne fait pas fructifier son argent, il le protège, il est dans la crainte que l'on le lui prenne. Grandet, lui, fait déplanter des peupliers pour les mettre au plus près des bords de Loire afin de gagner du terrain cultivable, il part la nuit à Angers pour faire un « coup de bourse ». Quant à Gobseck, il met en place une agence pour escompter les créances des colons de Saint-Domingue. Ce sont des spéculateurs actifs plus que des « avares », au sens passif souvent induit dans ce mot.

▶ *De manière générale, quelle place occupe l'argent dans le monde balzacien ?*

Balzac nous peint un monde qui change en ce premier tiers du XIXe siècle. C'est le monde des affaires et du commerce, de la bourgeoisie naissante et de la noblesse ruinée, des mariages d'intérêt, de l'ultime fascination des bourgeois et commerçants pour les comtes et comtesses qui ont compris que l'argent peut tout acheter. C'est ce monde naissant que nous décrit Balzac et depuis il a bien prospéré puisqu'il se repaît de lui-même : l'argent détruit tout, partout, définitivement.

J'aime beaucoup cette phrase de Fitzgerald : « il faut savoir que les choses sont sans espoir et cependant être décidé à les changer. »[3] Comprenne qui voudra.

▶ *Jean Claude Carrière disait que « ce sont les calculateurs froids qui triomphent dans "La Comédie humaine"». Partagez-vous son analyse ? Balzac vous semble-t-il étranger à toute forme de morale ?*

En effet, Goriot meurt, Eugénie Grandet se retire du monde. Les « calculateurs froids » ont tout gagné dans notre monde actuel, ils n'avancent même plus masqués comme ils pouvaient le faire dans les romans de Balzac.

Dans les premières pages du *Père Goriot*, Balzac écrit : « Ce drame n'est ni une fiction, ni un roman. *All is true*, il est si véritable que chacun peut en reconnaître les éléments chez soi, dans son cœur peut-être. » Balzac a trente-trois ans quand il fait ce constat, cela rend son œuvre encore plus tragique.

▶ *« Gobseck » pourrait-il faire l'objet d'une adaptation cinématographique ? Quel en serait l'intérêt ou, à l'inverse, les difficultés, selon vous ?*

Je vais répondre très brièvement à cette question qui mériterait quelques pages. Gobseck est un caractère fort, mais il n'existe que par sa relation aux autres qui ont des situations, des vécus passionnants. Il est la cristallisation, l'aboutissement des drames périphériques, sans intervenir dans ceux-ci. Gobseck apparaît plus comme un juge ironique des passions que comme un « héros ». C'est le grand spectateur du théâtre de marionnettes de la vie qui s'agite devant lui. Il faudrait faire vivre ce théâtre, les personnages y sont.

▶ *Quels sont, selon vous, les grands héritiers de Balzac ?*

Les personnages du *Parrain* de Francis Ford Coppola, par exemple : on retrouve dans ce film l'histoire d'une société, les problèmes d'argent, la corruption... C'est le cinéma à mon sens qui est l'héritier de l'univers balzacien et non la littérature moderne.

1. Jean-Claude Carrière, écrivain et scénariste, a travaillé sur de nombreuses adaptations avec Jean-Daniel Verhaeghe, dont celle du *Père Goriot*.
2. Personnage récurrent de *La Comédie humaine*, forçat évadé qui change sans cesse d'identité.
3. « On devrait par exemple pouvoir comprendre que les choses sont sans espoir et cependant être décidé à les changer » (*La Fêlure*).

Le père Goriot (Charles Aznavour) et ses deux filles (Florence Darel et Rosemarie La Vaullée), dans le téléfilm de Jean-Daniel Verhaeghe (2004).

Lire et Voir

Lire

- **Shakespeare, *Le Marchand de Venise* (1596)**

  À Venise, Shylock, l'usurier juif, a accepté de prêter de l'argent en le gageant sur une livre de chair humaine, celle du riche armateur Antonio. Au jour dit, celui-ci n'est pas en mesure de rembourser sa dette... Une dérangeante parabole sur la justice, l'argent et le statut du juif usurier dans le monde chrétien...

- **Molière, *L'Avare* (1668)**

  Harpagon, riche bourgeois, d'une extrême avarice, compromet l'avenir de ses deux enfants, en raison de son vice. Il projette d'épouser une jeune fille, Mariane, que son fils aime également. Celui-ci, contraint de recourir à un usurier pour obtenir quelque argent, découvre que ce dernier n'est autre que son père...

- **Balzac, *Les Dangers de l'inconduite* (1830)**

  La version initiale de Gobseck avec son titre original. Il est possible de voir ainsi l'évolution de l'œuvre.

- **Balzac, *Eugénie Grandet* (1833)**

  Avare dans la tradition de l'Harpagon de Molière, le père Grandet thésaurise et accumule l'or sans profit. Personnage symétrique et pourtant inverse de Gobseck, il fait le malheur des siens, notamment de sa fille, en stérilisant des masses énormes d'argent, que Gobseck fait au contraire circuler et fructifier dans l'intérêt de ceux qu'il sert.

- **Balzac, *Le Père Goriot* (1834)**

  Ce récit de Balzac permet, par un jeu de perspective, de comprendre quelle est l'origine sociale de Mme de Restaud et quelles sont les raisons qui l'ont conduite à se compromettre irrémédiablement avec Maxime de Trailles.

- **Balzac, *Splendeurs et misères des courtisanes* (1847)**

  Que devient la fortune de Gobseck après sa mort ? Voici ce que l'on peut découvrir en lisant ce roman balzacien qui met notamment en scène la figure d'Esther, La Torpille, l'héritière de Gobseck.

- **Octave Mirbeau,** *Les Affaires sont les affaires* (1903)

  Homme d'affaires cynique et insensible, le héros, Isidore Lechat, se trouve confronté à la mort accidentelle de son fils. Il aura pourtant le temps de régler leur compte à deux apprentis escrocs qui tentaient de le gruger, avant l'enterrement...

- **Lydie Salvayre,** *La Compagnie des spectres* (1997)

  Un huissier vient saisir les meubles, un jour de 1997, d'une femme et de sa fille. Un appartement, trois voix : deux femmes et un huissier sous tension. L'irruption de l'huissier renvoie la mère à ses peurs, ses haines, sa folie, et un étrange huis clos s'instaure entre l'officier ministériel qui ne dit rien mais accomplit sa tâche, la fille qui tente vainement de calmer sa mère et la mère qui vitupère.

- *Volpone,* **Maurice Tourneur** (1941)

  Scénario de Jules Romains et Stefan Zweig, d'après la pièce Volpone de Ben Jonson (1605). Pour se venger de ses créanciers qui l'avaient fait jeter en prison, Volpone met sur pied une vengeance diabolique, mais celle-ci se retournera contre lui...

- *Eugénie Grandet, Le Père Goriot,* **Jean-Daniel Verhaeghe** (1989 et 2004)

  Deux adaptations télévisées des romans balzaciens. Le réalisateur s'est attaché à dépeindre le monde clos de la province (Eugénie Grandet) et la société parisienne (Le Père Goriot).

- *L'Ami de la famille,* **Paolo Sorrentino** (2006)

  Ce film italien met en scène un vieil usurier, sale et méchant, amoureux d'une jeune femme, qui se croit seul de son espèce mais découvre qu'il n'est pas aussi singulier qu'il le pensait...

Notes personnelles

Ces pages sont les vôtres :

vous pourrez y noter :
vos citations préférées de
Gobseck, *ce que vous pensez*
de tel ou tel personnage,
le passage de l'œuvre qui vous
a marqué, ce qui vous a surpris,
plu, mais aussi déplu...

À vos plumes !

. . . .
. . . .
. . . .
. . . .
. . . .
. . . .
. . . .
. . . .
. . . .
. . . .
. . . .
. . . .
. . . .
. . . .
. . . .
. . . .
. . . .
. . . .
. . . .
. . . .
. . . .
. . . .
. . . .

TABLE DES ILLUSTRATIONS

p. 2 : Illustration de Charles Huard pour l'édition de *La Comédie humaine*, Maison de Balzac.

p. 4-140 : Portrait de Balzac, anonyme, 1842, Maison de Balzac, BIS/Ph. Jeanbor
  © Archives Larbor.

p. 6 : Manuscrit de Balzac, BNF, Bis/Ph Coll. © Archives Larbor.

p. 8 : *Louis Philippe Ier* (détail), Horace Vernet, 1832, peinture à l'huile (260 cm × 195 cm),
  Musée national du château de Versailles : Bis/Ph. © Archives Nathan.

p. 11 : *L'Amour de l'or*, Thomas Couture, 1844, huile sur toile (154 cm × 188,8 cm)
  © Photo RMN Philippe Bernard.

p. 19 : *Vieil homme*, Rembrandt, XVIIe siècle, © The Bridgeman Art Library.

p. 31 : *Hérodiade*, peinture de l'école italienne attribuée à Domenico Piola l'ancien, XVIIe s.,
  Musée des Beaux-Arts, Valenciennes © The Bridgeman Art Library/Lauros/Giraudon.

p. 81 : *Derville et la concierge*, illustration pour l'édition Furne de *La Comédie humaine*,
  1842, © Kharbine-Tapabor.

p. 85 : *Le Débiteur impitoyable*, dessin de Rembrandt, XVIIe siècle, Chantilly,
  Musée de Condé, © Photo RMN/René-Gabriel Ojéda.

p. 87 : Rembrandt, *Le Changeur*, Musée Condé, Chantilly, © R.G. Ojéda/RMN.

p. 124 : Muhammad Yunus, © Larsen/Scanpix Norvège/SIPA.

p. 133 : Jean-Daniel Verhaeghe, © MAESTRACCI/TF1/SIPA.

p. 137 : © Collection Christophel.

p. I : © Christophel.

p. II : © Bridgeman-Giraudon.

p. III : Musée du Louvre, Paris, BIS/Ph. © Archives Nathan.

p. IV : BIS/Ph. Coll. © Archives Larbor.

L'auteur tient à remercier la Maison Balzac à Paris pour son accueil et son aide précieuse.

Conception graphique : Laurence Durandau/Laurence Ningre
Design de couverture : concept et montage Hartland Villa, peinture de Gérard Dou,
Le Peseur d'or, © Bridgeman-Giraudon
Recherche iconographique : Michèle Kernéis
Mise en page : Alpha-Edit
Correction : Laure-Anne Voisin
Édition : Marion Noesser
Direction éditoriale : Marie-Hélène Tournadre

N° d'éditeur :10161008 - Dépôt légal : Juin 2009
Imprimé en France par I.M.E. - 25110 Baume-les-Dames